PABLO MARÇAL

A CHAVE MESTRA DO UNIVERSO

85% dos seus resultados dependem
de suas conexões humanas

Camelot
EDITORA

Copyright desta obra © IBC - Instituto Brasileiro De Cultura, 2022

Reservados todos os direitos desta produção, pela lei 9.610 de 19.2.1998.

2ª Impressão 2023

Presidente: Paulo Roberto Houch
MTB 0083982/SP

Coordenação Editorial: Priscilla Sipans
Coordenação de Arte: Rubens Martim
Revisão: Aline Ribeiro

Vendas: Tel.: (11) 3393-7727 (comercial2@editoraonline.com.br)

Foi feito o depósito legal.

Dados Internacionais de Catalogação na Publicação (CIP)
(eDOC BRASIL, Belo Horizonte/MG)

M313c Marçal, Pablo.
A chave mestra / Pablo Marçal – Barueri, SP: Camelot, 2022.
15,5 x 23 cm

ISBN 978-65-87817-46-0

1. Autoconhecimento. 2. Motivação. 3. Técnicas de autoajuda.
I.Título.
CDD 158.1

Elaborado por Maurício Amormino Júnior – CRB6/2422

IBC — Instituto Brasileiro de Cultura LTDA
CNPJ 04.207.648/0001-94
Avenida Juruá, 762 — Alphaville Industrial
CEP. 06455-010 — Barueri/SP
www.editoraonline.com.br

SUMÁRIO

Dedicatória 5
Prefácio 7
Por que ler este livro? 9
Qual a sua vocação? 13
Ambiência 19
A sua armadura é bem-ajustada? 25
Como a linguagem não verbal pode te ajudar? 31
Você encanta as pessoas com a sua voz? 37
Você sabe a diferença entre escutar e ouvir? 41
A sua vida está configurada no agora? 43
Storytelling: Você tem suas histórias para contar ou você conta as histórias dos outros? 47
Pelo que você será lembrado? 53
Na sua coroa tem essas cinco pedras preciosas? ... 57
Você tem o medo de errar? 63
Seu nome tem poder? 67
Qual a sua taxa de sucesso abordando uma pessoa pela primeira vez? 71
Você capitaliza a sua presença em eventos? 75

SUMÁRIO

Você captura os códigos que as pessoas de sucesso carregam? 81

Quando você quer algo, você começa pelo fim ou pelo começo? 89

Você sabe acionar os gatilhos cerebrais das pessoas? 93

A sua versão digital consegue chegar mais longe do que as suas pernas? 99

Como você se apresenta? 103

Como você tem gasto sua energia? 107

A sua *Black List* está pronta? 111

Algum amigo já te falou que você é tóxico? 115

Você quer se tornar a pessoa mais interessante do seu ciclo de amizade? 121

Sua rede já foi construída? 127

A lei da atração está ativada em você? 133

Quantas pontes você já pavimentou? 137

Quantos patrocinadores você tem? 141

Como colocar uma pessoa em seu circuito? 145

Você já está multiplicando? 151

Você sabia que existe uma chave que destranca todas as portas, mas não abre nenhuma? 155

DEDICATÓRIA

Dedico este livro a pessoas que sabem fazer pontes e verdadeiras amizades, conseguindo, assim, conectar-se a qualquer pessoa neste mundo. Elas me fizeram crescer e hoje fazem toda a diferença na minha vida e na geração de pessoas que se conectam a mim. Entre eles quero destacar: Dj PV, Sidney Gonçalves, Lorena Vieira, Samuel Cavalcante e outros. Um grande abraço a vocês, meus amigos.

Desejo que essa vontade de conexão permaneça no coração de vocês, para que avancem nessa geração, levando o que cada um tem de melhor para outras pessoas sedentas de transformação.

Dedico também este livro para você que quer aprender a se conectar e se transformar em um verdadeiro profissional de *networking*, que consegue captar a realidade do outro, identificando que cada ser humano é único e possui assim a sua individualidade e seu próprio mundo. E para você que deseja se conectar, compreenda: você é o astronauta! *Bora* pra cima?

Pablo Marçal

PREFÁCIO

Ter as conexões certas são determinantes para uma vida de sucesso. Sou amigo desse "foguete" chamado Pablo Marçal desde os meus 12 anos de idade.

De lá pra cá, vivemos grandes experiências, empreendendo em vários projetos juntos. Nesse tempo, vi todas as chaves na vida dele explodirem especialmente de 2010 até os dias de hoje, onde suas conexões retroalimentaram sua capacidade de ousar sempre mais e de alcançar novos patamares.

Depois de me conectar com pessoas como ele, posso afirmar, com toda a certeza, que a única barreira que te afasta dos seus objetivos é você mesmo! Seus resultados são a equação das pessoas que você se conecta! Pegue a chave do universo que o Criador já te proporcionou e destrave seus objetivos por meio desta obra de arte.

Pedro Vitor - DJ PV
Artista da Sony Music considerado o maior DJ Cristão do mundo

CAPÍTULO 01

POR QUE LER ESTE LIVRO?

Resolvi escrever este livro com o objetivo de ensinar qual é a verdadeira chave para o universo. Talvez você não saiba, mas, nas próximas páginas, aprenderá a multiplicar 85% dos seus esforços e os transformará em resultados reais.

As pessoas com as quais você se conecta na vida são de extrema importância para que possa alcançar seus objetivos.

A física quântica (matéria que eu normalmente estudo) fala muito a respeito desse tema. Seu resultado depende das pessoas com quem você se conecta, sabia disso? Inclusive, você deveria estudar mais sobre uma lei poderosíssima: a lei da atração.

Se você estiver pronto para viajar comigo neste livro, aprenderá grandes coisas, inclusive sobre as verdadeiras conexões e a sua real importância para o seu crescimento.

De forma prática, mostrarei para você o que fiz nos últimos 14 anos para chegar ao lugar em que estou hoje.

Espero verdadeiramente que os conselhos repassados aqui possam fazer você dar o seu salto quântico.

Desejo que este livro seja um mergulho para dentro de você, de forma a reconhecer quais são seus bloqueadores e vencer um a um, para que perca a vergonha de se conectar com as pessoas ou fazer as perguntas certas. Ou seja, produzir em você o desejo de se conectar realmente com a essência das pessoas, buscando um relacionamento genuíno.

Existe um segredo em se relacionar com as pessoas e eu quero compartilhar logo com você neste primeiro capítulo: tudo o que procura está em alguém. É exatamente isso!

Se você já foi meu aluno em algum dos meus cursos (*O pior ano da sua vida, Networking Pro, Método IP, Método SR, Oratória, Gestão do Tempo, Professional Coach ou Master Coach*), provavelmente, você me verá dando total importância para esse tema que é a conexão com pessoas.

Sabe o que é o mais importante no mundo? Gente! Verbalize comigo agora: "Pessoas são a obra-prima do Criador". Você é a obra-prima do Criador! Quando alguém falar que não gosta de gente, entenda que isso significa que a pessoa não gosta de si mesma. Consegue entender o que estou escrevendo? Afinal, essas pessoas não compreenderam quem são as pessoas que estão ao redor dela e nem quem ela é.

Desejo que este livro seja para você como um mergulho em águas desconhecidas, mas que, com o passar do tempo, você consiga reconhecer o território e dominar o local. E, para isso, o ideal é que realize as atividades que proponho nele.

Geralmente, durante os meus eventos ou cursos, na hora do almoço, sempre peço para as pessoas se desconectarem das pessoas que elas já conhecem, afinal, já existe um vínculo nesse relacionamento. É isso que farei através deste livro: ensinar algumas coisas que é necessário fazer para se conectar a novas pessoas.

Fique tranquilo se você é como as pessoas que querem ter seus próprios grupos formados. Acredite, você foi ensinado a ser assim. Desde pequeno, você foi doutrinado a sentar em grupo para se sentir aceito e amado; e sempre que alguém saía daquele grupinho e ia para outro sofria alguma crítica. Vendo isso, você aprendeu que deveria permanecer sempre com o seu grupo, se não quisesse "sofrer" o peso da crítica. No entanto, se você não se desvincula de quem já conhece, não se conecta a novas pessoas, ampliando assim o seu *networking*.

Networking é uma das palavras mais poderosas do mundo. É uma palavra em inglês e significa *rede de trabalho*. São engrenagens que, quando unidas, trabalham juntas por um objetivo comum. Você consegue imaginar isso?

Quando quero fazer algo, utilizo o relacionamento com as pessoas que conheço, mas existem outras pessoas com quem quero me relacionar e que não estão diretamente ao meu alcance. Como poderia fazer para atingir essas pessoas? Simples: construa pontes.

Você aprenderá mais adiante o que é uma ponte e como é possível construí-la. Pessoas são pontes que te levam a algum lugar. Eu sou a sua ponte, e você pode ser a minha e nós podemos nos conectar a qualquer pessoa do mundo.

Compreenda que 85% dos seus resultados estão intimamente e diretamente ligados às pessoas que você ainda não conhece.

Você é um profissional em construir novos relacionamentos e novas pontes? Se não é, após ler este livro, se tornará um. Desejei escrever esta obra, quando meu coração se compadeceu em uma das turmas que ministrei em São Paulo sobre o *Método IP*. Naquele momento, nasceu em mim fortemente o desejo de ensinar as pessoas a se conectarem. Todas as pessoas que conheço e que são boas em conexões fluem poderosamente. Se você não explodiu na vida, é porque ainda não é bom em *networking*.

Existe algo que nos impede de nos relacionar com as pessoas, e eu chamo isso de reserva mental. É a sua atitude em dizer: "Não gosto de fazer isso, não gosto de comida japonesa ou não gosto de sei lá o quê". Isso precisa acabar. Tem certas coisas que perceberá que são só bloqueadores, e, então, terá que remover isso de você, pois, se não mudar a mentalidade, não haverá a possibilidade de construir novos relacionamentos. Aprenda a cuidar da sua vida!

Só tenha cuidado para não ler muito rápido este livro. É necessário compreender que há um período de maturação da sua atitude e mudança de coisas que precisa reconhecer e melhorar. É melhor ser uma locomotiva e ir devagar, mas de forma constante, do que um foguete da *NASA* ou da *SpaceX*, que fica ensaiando lançamento e nunca sai de órbita.

Seja bem-vindo a esse mergulho que é para dentro. Nunca se esqueça disso! Primeiramente, conheça o seu interior para, depois, conseguir se conectar aos outros ou dar a eles qualquer coisa da qual precisem.

Pablo Marçal

CAPÍTULO 02

QUAL A SUA VOCAÇÃO?

A maioria das pessoas faz testes vocacionais para saber o que elas serão na vida e qual carreira seguir. Você não tem que fazer um teste de vocação, e sim tem que se encontrar. À medida que isso acontece, todas as coisas mudam e se transformam.

Para descobrir isso, faça uma autoconexão, um mergulho em águas profundas para dentro de você. Ninguém pode saber seu propósito de vida, se a sua identidade não estiver ativada.

A identidade mostra quem somos e de onde viemos – de pessoas. E compreender isso é extremamente importante.

As grandes famílias no Brasil e no mundo conseguem se conectar com outras através apenas dos sobrenomes. O seu sobrenome é uma marca, e as pessoas te conhecem por isso. Se você tem parentes influentes, e não é uma pessoa influente, provavelmente, deve ouvir o tempo todo: "Você é parente do fulano?". Esse parentesco com gente famosa faz a sua marca ficar poderosa.

No entanto, identidade não é só um bom sobrenome. Identidade é todo o fechamento, é a embalagem, o pacote. Já você é o produto. Identidade é o TODO.

Por que você precisa ter a identidade clara? Porque senão toda semana você vai querer fazer alguma coisa diferente na sua vida. E, no final, não fará nada alinhado ao seu propósito.

A maioria das pessoas hoje encontra-se perdida, principalmente diante da vida e dos desafios. Muitos "jovens" de 30 anos, atualmente, dependem dos pais. Estão perdidos e sem saber o que fazer. Conheci várias pessoas que, na parte da manhã, queriam ir para os Estados Unidos e, na parte da tarde, queriam montar uma pamonharia e, à noite, trocou de ideia, falando que queria passar em Medicina em uma Universidade Federal.

Essas pessoas agem assim, porque têm crise de identidade, tentam sempre o mais fácil por não saberem quem elas são e por não amarem problemas. Elas têm um problema importante a ser resolvido, mas não querem: elas mesmas.

Para descobrir um pouco mais sobre você (seus pontos fortes e pontos a serem melhorados), recomendo a se conectar a algum curso de autoconhecimento. Talvez você não dê valor a isso, porém transformará a sua mentalidade. Um dos meus cursos, caso você queira se conectar a mim, chama-se *Método IP*, realizado por mim e pelos meus facilitadores em Goiânia, São Paulo e em vários outros lugares espalhados pelo mundo através da *Plataforma Internacional* (minha empresa).

Você também pode pesquisar outras Escolas de Coaching ou de Inteligência Emocional espalhadas pelo Brasil e pelo mundo.

Busque algum curso que você possa mergulhar e fazer essa viagem para dentro de si mesmo.

É necessário compreender o que realmente significa imersão. Nada mais é do que aquilo que você faz por um período maior do que 20 horas e com grande intensidade. Por quê? Com o objetivo de ter domínio sobre o assunto.

Procure fazer um curso em que você tenha afinidade com o criador que o desenvolve. Ter uma mesma linguagem muda toda a sua realidade, pois, assim, aprenderá mais rápido. A linguagem nada mais é do que a forma com que a pessoa está se comunicando. Por esse motivo, a sua linguagem e a de quem é responsável pelo curso precisam estar alinhadas.

Da mesma forma, caso faça um curso com alguém que tenha linguagem muito requintada e sofisticada, e você é uma pessoa de linguagem simples, as coisas podem não fluir. Se realmente quiser aprender algo, conecte-se a pessoas que usam linguagem simples, elas atingem o maior número de pessoas, e isso fará uma enorme diferença.

Quando falamos de linguagem, vocação e habilidade, estamos falando sobre crenças e também sobre autoimagem, ou seja, uma ideia a seu respeito que foi construída por si mesmo. Muitas vezes, nossa autoimagem é formada baseada em discursos opiniáticos de seus pais, mães, professores e colegas que te falaram que você não era bom em certas coisas. E provavelmente você acreditou nisso, por eles serem pessoas importantes na sua vida.

Aprenda a resolver o único problema que você tem na vida: VOCÊ! Reconstrua sua imagem, enfrente o seu maior bloqueio e aprenda a ter liberdade de atuação. Quando eu comecei a ser consultor em empresas e mesmo depois de ser executivo no grupo *Oi Brasil Telecom*, tinha a imagem de que eu era um menino. Apenas um garoto inteligente. Naturalmente a forma com que me via e os outros me viam me impediam de cobrar os valores que eu deveria estar cobrando. Eu sempre achava que tinha que trabalhar de graça para os outros.

Eu fiz um mapeamento e percebi que minha mãe, meu pai e todas as pessoas à minha volta me viam como menino também. Para mudar essa imagem, fiz tarefas pontuais. Paguei caro em uma produção para tirar algumas fotos, fiz uma otoplastia (a minha orelha ser um pouquinho para frente era outra coisa que também me incomodava).

Tudo o que fizer sentido para você, a fim de se sentir melhor, faça rapidamente. Não espere demais para trabalhar o autoconhecimento. Não escrevo isso para que você se torne alguém fútil, mas, sim, para que invista em você. Afinal, o que precisa para resolver seus desafios está dentro de você, por meio de uma fonte que deseja jorrar. Contudo, para isso, é necessário estar em conformidade e alinhamento com a fonte. Justamente por esse motivo, quando escrevo aqui sobre autoimagem, estou tratando diretamente o assunto de identidade.

Você é imagem e semelhança do Criador. Por isso, tem que aprender as coisas que esse Criador faz. Todas elas como: a criatividade, a liderança, e etc. Tudo o que Ele faz é com amor e zelo. Você JÁ POSSUI tudo isso dentro de você, agora o importante é colocar para fora e praticar. Quando as pessoas me perguntam se eu acredito que todas as pessoas nasceram para liderar, respondo que sim, porque todos são imagem e semelhança do Criador.

É necessário compreender que o seu propósito não é o destino. Sabe qual é o destino para todos nós? Um paletó de madeira, ou seja, a morte. Essa é a única coisa que está DESTINADA a você em qualquer momento da sua vida. É isso mesmo que você quer? Esperar o momento em que a morte chegará na sua vida? O propósito é o trajeto, o caminho que você percorrerá. Acabei de compartilhar com você qual é o destino: a morte, mas, até chegar lá, existe uma trajetória a ser cumprida, e o que você fará com isso? Acredite quando escrevo aqui: você precisa estar pronto durante o trajeto.

Comecei este livro tocando no assunto identidade e propósito para que você não gaste a sua vida se conectando com qualquer pessoa ou com pessoas que não estejam no seu propósito, pessoas que não agregarão algo para a sua trajetória. Você aprenderá a fluir, porque a conexão depende de propósitos. É óbvio que vou me conectar a várias pessoas influentes para me ajudarem a subir, mas as conexões principais – 80% delas – são com pessoas que possuem o mesmo propósito, não do mesmo ramo comercial. São pessoas que querem crescer, que se descobriram e estão avançando.

É fundamental que você conheça a sua identidade, não sei quanto tempo você levará para tomar essa decisão, mas faça isso o quanto antes.

Desafio!

Liste abaixo 3 cursos/imersões (pode ser online, inclusive) de autoconhecimento para você eleger um para fazer nos próximos meses. Coloque uma data para isso.

_____
_____
_____
_____
_____
_____
_____

CAPÍTULO 03
AMBIÊNCIA

O primeiro ponto a ser tratado é sobre o linguajar, que nada mais é que a forma que você se comunica com outras pessoas. O seu comportamento está intimamente ligado a movimentos e fala. Portanto, a ambiência é a junção de tudo aquilo que você apresenta ao mundo exterior.

A primeira coisa que é necessário aprender é sobre ambientes. À medida que você está em lugares diferentes, sua forma de se comunicar deve acompanhar o local onde você se encontra. Se eu fosse dar uma palestra para juristas, por exemplo, possivelmente usaria o "juridiquez" em altíssimo nível. Isso faz parte da sutileza da nossa percepção.

O linguajar precisa ser adaptável. Se você for falar a operários, não use uma linguagem muito sofisticada. É necessário adaptar-se. Se você passar a mensagem sempre da mesma forma para todas as pessoas, cometerá um grave erro: o de não entrar no mapa de mundo das pessoas e colocar todas em um mesmo nível de comunicação, o que torna a sua mensagem ineficaz. **Aprenda a ler os comportamentos e as pessoas.**

Mapa de mundo é a forma com que o outro enxerga o mundo e como ele(a) se posiciona através da comunicação, da postura, da linguagem não verbal, das manias, dos trejeitos e etc.

Quanto mais rápido você se adaptar ao ambiente, maior será a sua chance de sucesso. Contudo, não tente mudar abruptamente o seu jeito de falar. Primeiramente, ouça as pessoas, veja como elas se comunicam e, então, você fala. Aprendi com Salomão que o tolo sempre fala antes do sábio.

Compreenda que, para se comunicar de forma eficiente e eficaz, é necessário se desconectar da emoção/necessidade de falar antes das pessoas. Você tem dois ouvidos e uma boca para que consiga ouvir mais do que falar. Enquanto você não aprender isso, não conseguirá bons resultados.

Uma dica que posso compartilhar em relação ao linguajar é que, ao ouvir o outro, você precisa capturar as cinco palavras que a pessoa com quem você está se comunicando repete com maior frequência. Pode até não parecer, mas essa atitude mudará a forma como você se enxerga e te dará o poder de se conectar às pessoas. O seu linguajar é uma forma de transmitir e de recepcionar suas falas e a imagem que você está transmitindo sobre você.

Uma das coisas do linguajar que acaba com a sua imagem refere-se aos vícios de linguagem. Não se trata sobre a palavra estar certa ou errada, é a repetição demasiada de uma palavra. Algumas pessoas usam "né, né, né" ou sempre, ao final das frases, "claro, correto". E ao utilizar palavras assim, sabe o que acontece? **Você irrita o outro e demonstra uma insegurança gigantesca na sua autoimagem.**

Como já comentei em outros livros, fui atendente de *call center* no ano de 2005, e aconteceu algo interessante na minha primeira monitoria. Eu não tive a nota dez, porque, segundo a minha supervisora, falei repetidas vezes a palavra "né". Eu fiquei indignado com o resultado, e pedi à ela mais uma chance. Solicitei que ela me monitorasse novamente, e disse que cortaria esse vício de linguagem. Ela deu gargalhada e falou que isso não seria possível, pois ninguém consegue eliminar um vício de linguagem tão rápido, mas insisti que ela me monitorasse. Enquanto isso, abri um bloco de notas no computador e escrevi sem parar a palavra "né, né, né" e, então, todas as vezes que eu ia falar, trocava a palavra "né" por uma outra palavra, e, na próxima vez, trocava por uma outra palavra, e fui trocando todas as vezes. Sabe o que aconteceu? Nunca mais tive este vício de linguagem.

É possível abandonar essa forma deselegante de falar repleta de vícios. Troque sua repetição de palavras por outras diferentes. O vício está em ter energia na fala, porém consumindo essa energia para escolher palavras erradas durante a comunicação. Sua linguagem precisa ter conteúdo.

Sabe algo que você pode fazer para ter um vocabulário incrível? Leia o Dicionário! Indico essa atividade, pois foi assim que consegui ter o vocabulário que tenho hoje. Aprendi tudo quando li o Dicionário *Michaelis* por completo.

Na minha época de faculdade, tinha uma amiga que compartilhou comigo um conselho que recebeu do pai, que havia dito à ela que, para nos tornarmos seguros e confiantes, precisaríamos aprender cinco palavras novas por semana. Após o aprendizado, era necessário repetir as palavras, inserindo-as nas falas. Quando minha amiga me disse isso, tomei para mim o conselho e comecei a adaptar quinze novas palavras por semana.

Agora imagine repetir isso durante cinco ou dez anos? Você poderá se comunicar com qualquer pessoa e terá conhecimento sobre muitos assuntos. O grande segredo é não decorar. Aprenda e aplique (use) em sua vida diária, mas, se não fizer sentido para você, abandone aquela palavra. Use apenas aquilo que faz sentido!

Talvez você não precise usar quinze novas palavras por semana, porém poderá fazer conforme o conselho do pai de minha amiga e adaptar cinco novas palavras. Assim, experimentará algo sobrenatural. Anote em um papel e carregue no bolso, por exemplo, até que você ganhe a prática dessas palavras novas.

Se você souber dominar o seu linguajar, ficará encantador. Talvez você não goste da palavra *sedução*, mas você tem essa reserva mental apenas pelas suas experiências. Na comunicação, é necessário ter sedução.

Sedução não é sexualidade, e sim um encantamento em que as pessoas ficam pensando: "Uau, o que esse cara está falando?". As pessoas sentem isso, quando você está perto delas? Já sentiu isso diante à oratória de alguém?

Desafio!

1. Anote abaixo uma situação em que você falou, quando deveria calar-se. E anote 3 (três) situações onde você se conectará com pessoas, porém deixando-as falar antes de você. Mova-se!

_____
_____
_____
_____
_____
_____

2. Selecione quais são os seus sete maiores vícios de linguagem e substitua-os por novas palavras. Aproveite e anote as 5 novas palavras que você irá inserir no seu vocabulário nesta semana.

_____
_____
_____
_____
_____
_____
_____
_____

3. Observe quais são as sete palavras que as pessoas mais próximas usam para que possa decodificar a linguagem delas. Anote-as abaixo.

_____
_____
_____
_____
_____
_____
_____
_____
_____
_____

CAPÍTULO 04
A SUA ARMADURA É BEM-AJUSTADA?

Armadura diz respeito à roupa, proteção, etc. Antes de fazer consultoria de imagem, eu era um rapaz sem elegância. Se você não souber o seu estilo, se tornará uma pessoa destrambelhada, ninguém saberá quem é você (até porque, nem você sabe!). Essa questão da comunicação visual determina quem você é. Vestir-se é comunicar-se.

Não pense que consultoria de estilo é coisa de rico, pois não é. Existem inúmeras formas de fazer isso, extraindo de dentro de você aquela imagem que deseja passar, e com um preço razoável. Além disso, se você realmente tem interesse em se comunicar melhor, existem vídeos no *YouTube* e outras plataformas gratuitas.

Posso falar com propriedade que nem toda roupa combina com você. Nossa família tem uma indústria de roupas, então, acredite: conheço sobre produção e desenvolvimento das peças. Para cada tom de pele, por exemplo, existe uma coloração, uma vibração de tons. A cor de sua pele precisa casar/combinar com a roupa que você usa, caso contrário ela poderá te envelhecer ou deixar você mais "sem graça".

Este não é um livro sobre moda, por isso recomendo que você, em um momento oportuno, estude sobre isso. Faça um curso ou uma consultoria, invista uma ou duas horas estudando sobre este tema. Invista em você! Estude sobre coloração pessoal, por exemplo, e, acredite, irá se assustar com a quantidade de informação que pode comunicar apenas se vestindo de uma forma diferente.

Minha esposa chama-se Ana Carolina, e é uma das mulheres mais elegantes que o mundo já viu. Ela sabe se vestir há muitos anos. Porém, certo dia, comentei com ela sobre uma cliente da área *coaching* que é uma grande empresária e que me deixava em crise pela forma com que ela se vestia e se comportava bem.

Eu tenho uma técnica que chama modelagem – vou falar sobre essa técnica mais adiante. Por conta dessa técnica, sempre quero modelar as pessoas que se conectam a mim e descobrir os códigos que elas carregam. Por isso, falei para a minha esposa que queria que ela se conectasse a essa grande empresária e consultora para que pudéssemos crescer nessa área.

A Carol fez consultoria de estilo com ela. Até essa data, minha esposa tinha cerca de 70 pares de sapatos, muitas roupas. Ela usava o nosso guarda-roupa (toda a parte dela e metade da minha) e também metade do guarda-roupa de nossos filhos. Depois que ela fez a consultoria de estilo e imagem, não acreditei. Ela tirou todos esses guarda-roupas e ficou com aproximadamente 15 peças, 15 looks diferentes e reduziu os sapatos para 15 pares. Ela parou de usar os outros guarda-roupas e ficou somente com o dela e começou a criar um estilo próprio. Ela evidenciou quais eram as reais características que possuía.

A moda é interessante, porque é cíclica. Contudo, você vai comprando roupas e algumas ficam em desuso. Depois, poderão voltar ou não. Então, aprenda: compre só aquilo que combine com você e com a imagem que deseja transmitir.

Algumas mulheres e homens podem estar se perguntando se investir nisso realmente faz sentido. E eu digo a você que funciona. Um exemplo claro disso é que a mesma roupa passa uma comunicação diferente dependendo da pessoa que veste. Se você já está em crise tentando entender o que a sua roupa tem a ver a se conectar com os outros, quero que entenda: você não é somente uma pessoa, é também uma marca e, assim como toda marca, transmite imagem e valores, ou seja, uma comunicação.

Não significa que você tenha que andar com roupas banhadas a ouro, mas você precisa de simplicidade com propósito. O simples nunca sairá de moda, aprenda isso! O que quebra a simplicidade? A sofisticação ou o fato de ser simplório, ser brega, ser menos que o simples. Para que você entenda melhor, significa menos do que você deveria ser.

Você não tem que se preocupar com a sua imagem (pois a preocupação é a má utilização do seu maior recurso), porém é necessário se posicionar em relação ao que a sua roupa está comunicando.

Você tem a sua imagem definida? Não entenda errado, não é

que você está brega (talvez esteja), na verdade, você precisa tratar você mesmo como grandes empresas tratam as suas marcas. Existem conselheiros e existem equipes de marketing só para fazer isso. Enquanto não houver um posicionamento de sua parte, não haverá crescimento.

Algumas das coisas que me fizeram crescer de forma assustadora foram: ter uma fotógrafa oficial que começou a mudar as minhas fotos; ter um cara especial para fazer os meus vídeos; ter pessoas para me ajudar com escritas de coisas novas; me conectar a pessoas que me ajudaram a potencializar aquilo que eu era. Você tem pessoas assim? Eles não inventaram e não me ensinaram coisas diferentes, mas me conectei a essas pessoas. Se você entender que tudo depende das pessoas com quem você se conecta, seu sucesso será garantido!

No entanto, para se conectar à pessoa que deseja, o ideal é mergulhar dentro de você e ter uma imagem diferente. Não é trocar a sua imagem ou criar uma terceira pessoa, mas retirar de dentro de você a elegância que já tem, só que você está atrapalhando esse fluir para fora. Essa é a palavra-chave: elegância.

Conecte-se com quem você é e com a sua identidade e vá trocar as suas vestes! É engraçado que até na Bíblia fala que se você não tiver vestes brancas e limpas, brancas como a neve e de linho finíssimo, ou seja, de alta nobreza, você nem entrará no casamento de Cristo com sua noiva. Você vai mesmo ficar de fora?

Aprenda uma coisa: se você tem como objetivo ser um profissional de *networking*, as suas roupas precisam mudar. Compartilharei com vocês mais adiante sobre isso, mas saiba que você precisa dar o primeiro passo, e ele está ligado a sua postura. Se a roupa que usa comunica algo que você não é, então já era! Faça uma doação, jogue fora, mas tenha alguma atitude AGORA.

Seja simples, porque a sua roupa fala. Acredite, 55% de toda a comunicação é a linguagem não verbal, a sua fala é só 7%, e ela tem que estar muito boa e muito bem-apurada.

Você precisa ter higiene também. Eu sei que você pode pensar: mas isso é tão óbvio. Acredite, há pessoas que simplesmente não se cuidam. Não cortam as unhas, não retiram os pelos do nariz e não aparam a suas barbas.

Mude a roupa que você está vestindo, porque tenho certeza que está errada! Dificilmente alguém na "sorte" aprendeu a usar isso a seu favor. Você precisa de alguém que entenda sobre o assunto para te falar a verdade, para falar assim: "Você está brega e isso não combina com você". Você está pronto para ouvir isso?

Desafio!

1. Procure uma consultora de estilo que esteja dentro do seu orçamento ou assista vídeos sobre o tema no *YouTube* que são gratuitos.

_____

_____

_____

_____

2. Faça um curso de coloração pessoal ou pesquise quais cores combinam com seu tom de pele e qual roupa mais valoriza o seu corpo.

_____
_____
_____
_____
_____
_____

3. Faça um limpeza no seu guarda-roupa e retire todas as peças que não estão de acordo com a imagem que você deseja transmitir. Coloque aqui a data e o prazo final para executar essa tarefa.

_____
_____
_____
_____
_____
_____

CAPÍTULO 05

COMO A LINGUAGEM NÃO VERBAL PODE TE AJUDAR?

Linguagem corporal é a sua forma de posicionamento corporal. Eu falei anteriormente que 55% da sua comunicação é comportamental. Entenda, os seus comportamentos falam mais alto do que as suas palavras.

Palavras são 7%, o corpo transmite 55% e o tom de voz 38%, formando assim a sua comunicação ou linguagem. Isso tudo está relacionado à imagem que você tem de si mesmo e como coloca isso para fora. Se você não mudar a sua forma de posicionamento, nunca se conectará a pessoas importantes e poderosas, ou que trarão resultados para você.

Uma dica poderosa antes de mais nada é: cuidado com as suas manias. Se você tem o costume de ficar passando a mão na sobrancelha enquanto está conversando por exemplo, você mostra que está inseguro, o seu corpo e as suas manias revelam isso.

Outro exemplo é: você receberá uma repreensão. Como você se comporta? Você faz uma expressão de: "Nossa, que chato isso?!".

Tudo isso são manias, e você precisa eliminá-las, porque as pessoas vão percebendo e pegando seus cacoetes e sabem como te decifrar. **Decifre as pessoas, mas não permita que elas decifrem você.**

Ensinarei uma técnica de controle de dreno de energia para que você possa usar, quando perceber que está utilizando determinadas manias. Se seu comportamento repetitivo está da cintura para cima, tem uma forma de tirar esses "tiques ou cacoetes". Faça um movimento de pinça com o indicador e o polegar e aperte-os com muita força. Dessa forma, o seu corpo vai delirar de dor; todas as vezes que vier essa insegurança, faça isso!

Se o gasto de energia for do quadril para baixo, aperte o seu dedão do pé com força, somente o dedão! Vai doer muito, e o seu corpo vai falar "chega". É apenas uma forma de fechar a válvula de energia e negociar com o seu cérebro para que ele não reproduza mais este comportamento. Recomendo que você leia o livro "*O corpo fala*", de Pierre Weil e Roland Tompakow (Editora Vozes), para que conheça mais sobre esse tipo de comunicação.

Por que você precisa estudar sobre isso? Porque o seu corpo está falando o tempo inteiro, e as pessoas estão lendo mesmo sem saber, pois é o cérebro que lê. É algo automático.

55% da sua comunicação são os seus movimentos, ou seja, o seu corpo é o seu sócio majoritário na comunicação. Você precisa ser uma pessoa elegante! Se você fica com movimentos acelerados e falando de forma desesperada, ficará parecendo aqueles "*YouTubers*" de videogames.

O ideal é o movimento elegante e suave. Aprenda uma palavra: *soft*, que significa suave ou leve. Quando for se comunicar ou passar algo, faça movimentos leves e suaves.

Se você é uma pessoa elegante, será leve, *soft*, e as pessoas vão admirar você. Não fique com doideira, segure os seus membros e canalize a sua energia. Com certeza, já ouviu pessoas dizerem: "Meu santo não bateu com fulano". Isso significa que ela confiou nesse "fulano"? Significa que ela tentou fazer o "*rapport*" (palavra de origem francesa que significa "criar uma relação") e o cérebro deu uma negativa, acusando a mensagem: "Não conectou, não confio em você". Isso é incrivelmente interessante. Por isso, você precisa estudar! Antes de chegar com o seu maravilhoso comportamento, analise o comportamento das pessoas. Faça o laboratório!

Imagine que você está em uma aldeia indígena, e as pessoas de lá têm certos comportamentos. Você chegará de qualquer jeito, se comportando como normalmente faz? Não vai! Você se adéqua ao comportamento daquelas pessoas aonde você está se inserindo e, rapidamente, você ganhará a confiança delas a ponto de pensarem: "Uau, essa pessoa é um de nós" – é isso que você tem que fazer.

Certa vez, viajei para a Alemanha e foi muito engraçado, pois, quando cheguei lá, aconteceu algo interessante: eu queria cumprimentar as pessoas da mesma forma que fazemos em Goiás, balançando a cabeça e falando "Opa"! Porém não tinha um na Alemanha para balançar a cabeça, eles ficam só te olhando e pensando: "De onde será essa pessoa, o que ela quer?".

Então, preste atenção! Essa linguagem com o corpo fará você conectar e prosperar rapidamente, ou pode te afastar das pessoas que mais deseja se conectar.

Observe e identifique os ambientes. Quando você chegar em lugares onde as pessoas não são de ficar batendo nas costas ou qualquer outra coisa, simplesmente comporte-se como elas.

Analise o ambiente e entre no mapa das pessoas que estão lá. Isso fará uma total diferença em sua vida.

Desafio!

1. Pesquise cinco livros sobre comportamento não verbal no *Google* e liste-os abaixo.

_____
_____
_____
_____
_____
_____
_____

2. Leia o livro: *O corpo fala* (Editora Vozes) e faça um resumo dos pontos mais importantes.

CAPÍTULO 06

VOCÊ ENCANTA AS PESSOAS COM A SUA VOZ?

Sua voz é chata? Sim ou não? Seja sincero e responda. A minha voz era chata, alta e tinha uma rachadura no final da minha fala. O maior segredo que tenho para compartilhar é que existe uma forma de mudar isso.

Um cliente meu tem um restaurante muito próspero, mas percebi que o maior lucro que ele tinha era nas bebidas e não na comida. Mesmo que o maior lucro fosse com as bebidas, ainda assim não era um lucro satisfatório. Era necessário treinar a modulação vocal e uma fraseologia interessante na hora de oferecer a bebida para mudar esse quadro completamente e levar o cliente a consumir mais.

Imagine agora que eu sou o seu garçom e você já está comendo. Em vez de fazer aquela velha pergunta desnecessária que todo garçom faz: "Você quer beber alguma coisa?" e, geralmente, recebem um "não" e raramente um "vou querer", você pode treinar uma fraseologia e uma modulação vocal com uma inflexão na hora exata.

As três coisas que as pessoas mais bebem é refrigerante, suco e água. Observe a pessoa para ver qual é o estilo dela, você pode identificar pelo tamanho do prato, o comportamento, o tipo de alimento e tudo mais.

Se a pessoa for do estilo *fitness*, coloque o refrigerante em primeiro lugar na pergunta, ficando assim: "Para acompanhar a sua refeição, você prefere refrigerante, suco ou ÁGUA COM GÁS?". Termine a frase com essa modulação e enfatize a prioridade que, no caso, é a água com gás. Quando você joga a pergunta assertiva com uma modulação na fala, a pessoa cria uma dicotomia e, logo, escolherá o "menos pior", mas que ela sempre compra.

Quando ensinei isso a meu cliente, sabe o que aconteceu? A curva de vendas de bebidas subiu. Entenda, o segredo não está só na fraseologia, está na posição, na impostação e na entonação vocal.

A forma que você se comunica pode mudar os seus resultados. Nas propagandas da *Hyundai*, por exemplo, por que que os carros (que já são bons) passam um ar de espaçonave? A frase *"Hyundai Sonata, a maravilha tecnológica da Hyundai"* – falada com um tom vocal e com modulação vocal poderosa – nos faz ter o desejo de consumir aquele carro.

Você tem que entender que tem como você empostar a sua voz para que isso aconteça, deixando a sua comunicação poderosa.

As pessoas confiam mais quando ouvem aquela voz aveludada, pesada e poderosa, por exemplo.

Eu vi uma pesquisa política internacional que dizia que os políticos que têm peso na voz transmitem mais confiança e ganham mais votos, sabia disso? Homens que têm a voz mais pesada ganham mais confiança. E a sua voz, é uma voz pesada?

Vamos treinar um pouco! Coloque a mão no peito, inspire e diga: "Peso". Tem peso nessa voz ou sai fininha? O que você sente? Sentiu uma vibração?

Você tem que aprender a modular a sua voz. Isso não é o caso de todas as pessoas, mas, se é o seu caso, eu te passo duas recomendações. Primeiramente, contrate um *coach vocal*, pois, em poucas horas, ele te ajudará a modular a sua voz, ou, então, faça algumas aulas de canto para que aprenda a inspirar e expirar de forma correta.

A sua respiração influencia na sua comunicação. No entanto, se você não quiser contratar nem um e nem outro, pesquise no *YouTube* por vídeos de modulação vocal e de como empostar a voz, aprendendo a se posicionar com uma voz diferente. O que você não pode é ficar com a sua velha voz rachada, intensa e com volume alto. Aprenda: o volume é determinado na ambiência, no lugar que você se encontra. Module a sua voz. Se você aprender isso, se conectará muito mais rápido com as pessoas.

Você também precisa de leveza na voz. Ela precisa deslizar, assim como um barco desliza suave sobre a superfície das águas.

Desafio!

1. Se a sua voz o incomoda e você reconhece que precisa de mudanças, procure um *coach vocal* ou aulas de canto. Coloque aqui a data para realizar esta tarefa.

_____
_____
_____
_____
_____
_____

CAPÍTULO 07

VOCÊ SABE A DIFERENÇA ENTRE ESCUTAR E OUVIR?

Existem pessoas que não querem ouvir umas às outras. As pessoas estão escutando e fazendo mil coisas ao mesmo tempo. Existe uma diferença entre escutar e ouvir. Escutar significa captar qualquer ruído. Já para ouvir, é necessário ativar a sua cognição e fazer a pessoa que está à sua frente ser interessante na sua cabeça.

Qual é o segredo disso tudo? 90% das pessoas ficam só escutando umas às outras. Você pode escutar o passarinho e a chuva, por exemplo, mas, quando você para e começa a contemplar a chuva ou o canto do sabiá, deixa de escutar e passa a ouvir. Todas as pessoas querem ficar perto de um bom ouvinte, porque, no fundo, é isso que elas desejam: serem ouvidas.

Pare de ficar num processo de escuta com os outros e transforme esse processo de audição. Quem está ouvindo tem compromisso com a cognição de si mesmo e está prestando a completa atenção no próximo. Quando você ouve o outro de forma audível, você está com a sua cognição virada para a pessoa e mostrando para ela que: "você é importante para mim". Acredite, as pessoas querem se sentir importantes.

Aprendi algo com um amigo que se chama José Rafael, ele é um grande palestrante no Brasil e é uma das pessoas mais nobres que conheço, porque ele realmente sabe ouvir e faz você se tornar uma pessoa interessante. Isso é uma técnica.

Quando uma pessoa está totalmente desinteressante para você, é só se conectar com boas perguntas e amará ouvir a história dela. Escutar é um ato que a maior parte das pessoas faz, já ouvir é uma ação para poucos. Aqueles que sabem ouvir prosperam, porque simplesmente aprenderam a tornar o momento deles interessante e, mais do que isso, sabem amar o próximo. Se você não ama, você não tem paciência e nem interesse em ouvir.

Desafio!

Para saber se você é um ouvinte ou um "escutante", recomendo que faça uma lista das pessoas mais próximas a você: seu cônjuge, seu chefe, seu sócio ou outros e se pergunte: "Eu estou só ouvindo ou escutando essas pessoas?". Dê uma nota de 0 (escutando) a 10 (ouvindo) para cada uma das pessoas da sua lista.

_____

_____

_____

_____

_____

CAPÍTULO 08
A SUA VIDA ESTÁ CONFIGURADA NO AGORA?

Quando você configurar a sua mentalidade no agora, ficará mais interessante e tornará a pessoa à sua frente mais interessante também. Muitas vezes, pensamos que apenas os outros são desinteressantes e chatos, quando, na verdade, na maioria das vezes, nós estamos tão desinteressantes, até para nós mesmos, que não conseguimos ver o quanto aquele que está próximo de nós pode ser interessante.

O desenho (abaixo) parece uma bobeira, mas ele mudou a minha vida! Eu tinha déficit de atenção. Na medicina, o déficit de atenção não tem cura, mas, por meio desse desenho, mudei a minha realidade.

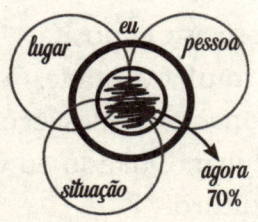

Esse círculo central é o raio onde você está agora, ou seja, é você. Existem três situações e você tem que conectá-las e ficar no núcleo das três, que são: o lugar, a pessoa e a situação. Você é o núcleo, e é você que fará a conexão dos três pontos.

Quando você é multitarefa, vive uma vida sem se conectar à pessoa que está à sua frente, à situação que está acontecendo e ao lugar que você está.

Qual é o lugar mais importante do mundo agora? É o lugar onde você está lendo este livro. Qual é a situação mais importante agora? Não é o boleto da escola do seu filho que você tem que pagar, e sim é esta leitura. Qual é a pessoa mais importante para você agora? Pablo Marçal.

Você entende o que eu estou falando? É sempre o momento, o lugar e a pessoa. Suponhamos que eu vá para o parque Ibirapuera, em São Paulo. Qual que é o lugar mais importante do mundo quando eu estiver lá? O Ibirapuera. Qual vai ser a pessoa mais importante? A que estiver conectada comigo. Qual situação será mais importante? A situação é onde tem um ponto de convergência. Quando eu não me conecto com essas esferas, qualquer uma delas, eu encerro a conexão.

Preste atenção! Em todo o lugar que você estiver, o mestre Jesus te direcionou a "amar o próximo como a ti mesmo". Se você é o núcleo que se ama, você vai simplesmente fazer o que Ele mandou e amar o próximo. Por que que coisas extraordinárias e sobrenaturais não acontecem com você? Porque você não sabia do poder do agora.

O agora é onde eu preciso depositar 70% da minha energia, da minha atenção e da minha vontade. O passado aponta para a depressão, eu me desconecto da situação que eu estou vivendo agora, da pessoa e do lugar. Quando eu vivo em ansiedade, estou vivendo no modo futuro.

Adão, por exemplo, esqueceu o Éden (lugar), esqueceu Deus (pessoa) que estava lá no Éden e esqueceu da situação que não era para trabalhar, e sim somente para descansar (situação) a vida inteira. Porém o que ele fez? Ele perdeu o agora, ficou ansioso e "vazou" do jardim! Fale comigo: "É uma porcaria, uma bosta, um negócio desse". Você falou uma bosta da história de Adão, mas está acabando com a sua própria vida. Por que você não repete isso, falando sobre você mesmo? Existe o agora, e é a única coisa que você tem!

Você está usando o poder do agora no trabalho, na sua casa, na relação com os seus pais e com os seus filhos? Você está usando o poder do agora nesta leitura? Tente sempre "*scorizar*", fazer o *ranking* e saber onde você está falhando ou acertando mais. Isso é importante para que você possa mudar a rota, quando necessário, e acessar a sua mudança e transformação em quem você deseja ser, aonde deseja chegar.

Desafio!

Leia os livros *"A única coisa"*, de Gary Keller, e *"O poder do agora"*, de Eckhart Tolle (ambos da Editora Sextante) e escreva 3 coisas que aprendeu com cada livro abaixo.

_____

_____

_____

_____

_____

_____

_____

_____

CAPÍTULO 09

STORYTELLING
VOCÊ TEM SUAS HISTÓRIAS PARA CONTAR OU VOCÊ CONTA AS HISTÓRIAS DOS OUTROS?

Storytelling é a arte/habilidade de contar histórias. *Telling* está no gerúndio, então, é preciso ficar contando histórias. Um dos melhores filmes que já assisti na vida foi *"O Contador de Histórias"* com Tom Hanks; a habilidade do personagem principal em cativar as pessoas ao contar uma história é algo incrível!

Se você souber que existe uma história que é sua, mas você não a conhece, você sairá desses escombros e começará a construir essa história, ou melhor, trazer a existência. Pare de atrapalhar sua própria vida!

Se você é um daqueles palestrantes/professores, e usa o *Power Point* com mil escritas, ninguém suporta assistir à sua aula. Acredite, as pessoas querem histórias para se sentirem atraídas.

Antes de conhecer a técnica, em 2006, quando eu era instrutor do suporte técnico de rede na *Brasil Telecom*, eu dava treinamento e todo mundo se assustava na minha aula, pois aprendiam com muita facilidade. Eu também ficava surpreso, afinal estava apenas contando histórias. Porém esse era o segredo: contar histórias!

Vou te contar uma dessas histórias que é contada até hoje na *Brasil Telecom*. Antigamente, os clientes tinham a obrigação de ter um provedor de autenticação para acessar à Internet. Em certa ocasião, estava tentando explicar isso para uma cliente (nessa época, eu ainda era atendente), tentava sempre clarificar e trazer o conteúdo, da forma mais tranquila, na linguagem da pessoa. Eu falava: "Olha, o provedor *BR Turbo* é isso, isso e isso", e ela dizia: "Eu não entendo, porque eu tenho que pagar *BR Turbo* e *Brasil Telecom* (são empresas do mesmo grupo, mas cada uma faz uma coisa diferente)".

Então, eu falava: "Senhora, não é assim, você tem que entender que a Internet física que sai aí, no seu cabo, é a internet da *Brasil Telecom*, o provedor que a senhora paga é só a senha para se autenticar", mas, mesmo assim, ela não entendia nada. Aí, pensei: "Vamos para a analogia" – essa é uma forma poderosa de fazer *storytelling*, usando analogias ou, então, uma coisa ainda mais poderosa – as alegorias.

Analogia é comparação, e alegoria é uma construção com outras figuras, há uma diferença.

Então, expliquei para ela da seguinte forma: "A Internet que a *Brasil Telecom* serve para a senhora no seu fio de cobre é um rio, e o provedor *Br Turbo* é o barco. Então, a senhora tem um rio disponível, mas, para acessar esse rio, a senhora precisa do barco (isso naquela época, porque sei que hoje não é necessário mais isso). Quando eu contei para ela essa analogia (que eu criei na hora), ela falou assim: "Meu Deus, é por isso que as pessoas sempre falam 'navegar na internet'".

Eu nunca vou esquecer dessa ligação, confesso que eu apertei o *mute* e dei um grito: "Que história louca!". Contei nos treinamentos, e ela é contada até hoje há mais de uma década nessa companhia. "O provedor é o barco, e a Internet é o rio" – e aquela senhora fechou a analogia, quando falou: "É por isso que as pessoas falam navegar na Internet". Nós contamos uma história juntos. **Quando você cria uma história, faz as pessoas entenderem o que antes era aparentemente impossível.**

Há algo muito importante que eu fiz, faço e recomendo que faça: que é construir a sua própria biografia. Homens e mulheres que estão escrevendo suas próprias biografias não pisarão nos seus nomes nem nos seus destinos, porque, em todas as vezes que eles escreverem e falarem que farão algo, eles mudarão a história deles.

Vou confessar algo para você que fiz uma vez: larguei um contrato de consultoria de 80 mil reais. Ficava 4 horas por semana na empresa, e eu vou te falar: eu só criei coragem, só larguei esse contrato para ter uma história "cabulosa". Contudo, eu queria aquela história, foi dolorido, ninguém me apoiou, nem meu sócio na época e nem a minha esposa, e olha que ela sempre me apoia. Sabe o que fiz? Larguei! E contar essa história me dá um enorme prazer! Sabe por quê? Porque eu não sou motivado pelo dinheiro. E tomar decisões como essa faz a minha história de vida ficar mais poderosa.

Uma das proezas que consegui foi ser o executivo mais novo do país na *Brasil Telecom*. Sabe o que isso me rendeu? Uma história poderosa! Não ter saído dessa mesma companhia, quando eu poderia ter processado a empresa por ter sido agredido fisicamente por uma executiva acima de mim, fez a minha história ser mais poderosa.

Não ter continuado no escritório de advocacia fez eu ter uma história poderosa em relação a este assunto.

Nunca ter processado ninguém na vida, mesmo sendo um jurista, me faz ter uma história poderosa.

Ter me casado com a minha primeira e única namorada, a Ana Carolina, faz o quê? Faz eu ter uma história poderosa.

Ter feito o lançamento do meu primeiro livro na Alemanha me deu uma história incrível, assim como dos meus demais livros.

Que história poderosa você tem? Qual é a história que você está contando? Você precisa construir três boas histórias. A sua história espiritual, profissional e, principalmente, a sua história pessoal, que envolve a sua família.

Você que tem filhos, por favor, não deixe os seus filhos dormirem sem ouvir uma boa história. Certa vez, eu vi uma pesquisa que, se nós não contarmos histórias para os nossos filhos antes de dormir, eles não desenvolverão de forma produtiva a imaginação. Seus filhos podem não avançar na vida por sua responsabilidade. Sabia disso? Então, conte histórias!

O *storytelling* é você comprometer a sua vida num trilho. É pegar um trilho do sucesso e contar essa história. Eu sei que o passado é um vagão que é muito pesado, solte o pino e conte uma nova história. Refaça a sua própria realidade, não mentindo sobre o seu passado, mas deixando ele onde está e reescrevendo o seu AGORA para ter um futuro diferente.

Simplesmente comece a contar a sua história, pare de papo velho, usando desculpas para não fazer o que precisa ser feito.

Para Deus, não existe ninguém mais importante do que você, e é preciso acreditar nisso! Você carrega uma partícula Dele aí dentro do seu coração, da sua alma.

Quando você tiver medo de fracassar, fracasse! Porque, depois disso, a história será diferente. O que as pessoas mais valorizam umas nas outras é a história e a ficha de fracasso. Quanto mais fracasso tiver tido, mais sucesso tem, porque o seu sucesso é a soma dos seus fracassos.

Você precisa instalar esse *drive mental* para não ter medo de errar. Até porque é justamente através dos erros (seus e dos outros) que você mais aprenderá.

Desafio!

Comece a escrever a sua biografia abaixo. Escreva também três boas histórias (espiritual + profissional + familiar) que você tenha.

_____
_____
_____
_____
_____
_____
_____
_____
_____
_____

CAPÍTULO 10

PELO QUE VOCÊ SERÁ LEMBRADO?

Você será lembrado por duas coisas na vida: os problemas que você cria e aqueles que resolve. Se você está só sobrevivendo e respirando, você já tem muito problema. Sabe por quê? Porque você é o maior problema que existe.

Resolva o maior problema do mundo: você! Você que não consegue perdoar alguém, o problema não é a pessoa, e sim você que está carregando ela.

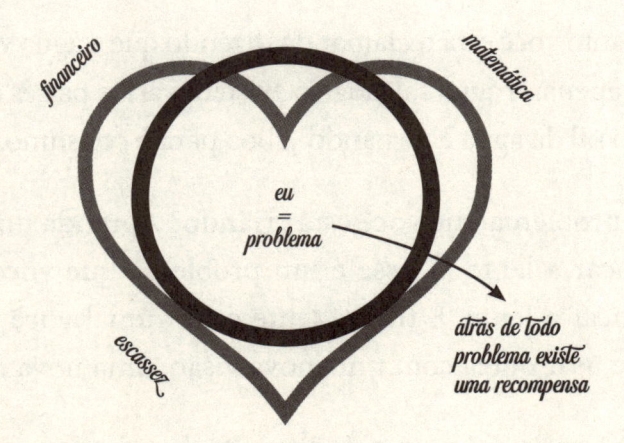

financeiro — *matemática*

eu = problema

atrás de todo problema existe uma recompensa

escassez

Repita a seguinte frase: "O maior problema do mundo sou eu"! Você é o maior problema do mundo. Então, você precisa amar problemas. Esse é o segredo. Se você amar problemas, amará a própria vida!

Atrás de todo problema existe... Você está no automático e já deve ter dito: "Solução", porém não é isso. Atrás de todo problema existe uma recompensa. Quando você cria um problema, você tem um potencial energético para fazer uma coisa maravilhosa que é resolver esse mesmo problema.

Tem como ganhar dinheiro na vida, mas não é só trabalhando. Existem pessoas que só têm a ideia e ganham dinheiro, e os outros que vão trabalhar. São pessoas que estão criando problemas. Se você entendesse que atrás de todo problema existe uma recompensa, você estaria criando problemas. Qual é o problema que você vai criar? Pense nisso.

Enquanto as pessoas ficam reclamando de combustão com petróleo fóssil, sabe o que está acontecendo? Muitos já estão terminando de popularizar o veículo movido à água.

Enquanto você está reclamando dizendo que a água vai acabar e teremos apenas a água salgada, já existem vários países do mundo tirando o sal da água e tornando-a boa para o consumo.

Qual problema que você está criando? Aprenda uma expressão: "trocar a lente" – esse é um problema que você tem que criar, trocar a lente. É tirar a lente com a qual você enxerga o mundo e usar outra com uma nova visão, uma nova ótica.

Se você nunca foi num país diferente do que você mora, você é uma pessoa com baixa qualificação para criar problemas, pois fica muito limitado a uma única visão de mundo que você tem.

Você só está lendo este livro, porque resolvi criar esse problema. Você será lembrado pelos problemas que você criar e por aqueles que resolver.

Você só cresce se amar problemas. Repita em voz alta: "Eu amo problemas". Então, agora, você se abraçará e começará a amar problemas. O maior problema que existe no mundo é você! Não era aquela folha de matemática que o seu professor falava: "Olha, aqui, o maior problema do mundo". Acredite, o maior problema do mundo é você!

Ame problemas! Eu me amo, e você?

Desafio!

Escreva abaixo 7 problemas que você precisa criar e 3 ações para cada problema, tendo o objetivo de resolvê-los.

_____
_____
_____
_____
_____
_____
_____
_____

CAPÍTULO 11

NA SUA COROA TEM ESSAS CINCO PEDRAS PRECIOSAS?

Se você quer crescer em *networking*, faça essas cinco coisas que levarão as pessoas a se impressionarem com você:

1. Conexão com Deus;

Antes que você pense qualquer coisa, ninguém falou em religião. Tenha uma conexão com Ele, o Criador dos céus e da terra, da forma que você o conhece e ponto final.

A sua conexão com Deus não é dentro de igreja ou de religião, é Ele dentro de você. Não é você dentro de lugares, é você mergulhando para dentro de si. As pessoas (até os ateus) admiram pessoas que têm conexão real com Ele, não uma conexão religiosa.

Para se conectar direto com o Criador, fora de religião, você precisa agir. Ler a Bíblia é uma forma de se conectar com o

Criador; conectar com pessoas que estão conectadas a Ele é outra forma; fazer uma reza, uma prece ou uma oração.

2. Acordar cedo;

Esse é um segredo que, em qualquer cultura, todo mundo se impressiona. Você tem preguiça? Se você não tem tempo para nada, acorde duas horas mais cedo todos os dias que, logo, você terá 730 horas disponíveis. São dez horas a mais, um mês inteiro acordado. Melhor horário para acordar na vida é às 4 horas da manhã.

Tem um livro que pode te ajudar nessa tarefa de acordar mais cedo, "*O milagre da manhã*", de Hal Elrod (Editora Best Seller). Leia este livro, eu não conheço um que não foi despertado depois dessa leitura. É um dos livros que você pode ler e mudar a sua mentalidade. Lembre-se de uma coisa: o pensamento que você teve antes de dormir será o mesmo ao acordar, então, cuide dos seus pensamentos.

3. Atividade física;

Por que atividade física? Porque é necessário se conectar e ter um "*shape*" legal, ter energia e ser modelo. Todo mundo morre de preguiça de cuidar do próprio corpo, só quer comer doce e gordura sem parar. E se você é alguém que cuida de sua saúde, saiba que esse é um dos fatores mais poderosos de geração de valor.

Coloque o seu corpo para obedecer às suas ordens. Outra dica relacionada ao seu corpo é: vá tomar banho na água natural, gélida. E não pense que seu corpo se acostuma, porque não se acostumará. Será algo que você precisará fazer todos os dias.

4. Tempo de qualidade com a família;

Tudo o que você faz na vida é para levar recurso para a sua família e para ter tempo com eles. Eu sei que está numa fase de crescimento, mas a sua família nunca pode ficar de lado.

Almoce todos os dias com a sua família ou tenha, pelo menos, uma refeição com eles. Esforce-se, ao máximo, para realizar isso. Tente tomar café da manhã com eles, faça algo para ter um tempo real e de qualidade com todos. Mude a sua vida. Não é a empresa que manda em você, não é nada que manda na sua vida, a não ser você mesmo.

Seja uma pessoa que ama e prioriza a sua família, porque, no final de todas as coisas, a única coisa que você tem é: seu cônjuge, seus filhos, seus pais e seus familiares.

5. Publicar o próprio conteúdo;

Antes de você vir ao mundo, já existiam essas coisas que você tem acesso. Contudo, depois que você veio, já colocou alguma coisa da sua cabeça aqui na terra? Já criou um curso? Escreveu um livro? Uma apostila? Uma música? Um vídeo no *YouTube*?

Na verdade, nada se cria, tudo são transformações. Nós estamos transformando, e não criando nada. Então, comece a gerar conteúdo, porque as pessoas vão te procurar por isso. Isso é gerar valor. Eu criei o *Método IP* e acredito que, pela capilaridade mundial do assunto, é uma das coisas mais poderosas que já "criei".

Eu sou fruto da modelagem de mais de 200 pessoas; fruto de mergulhar na Palavra do Deus vivo; de um investimento de quase 1 milhão de reais pelas empresas que trabalhei ou por mim mesmo. Então, sou fruto de transformação e de investimento de muitas outras pessoas. Sou fruto de estar conectado à vida da igreja também.

Essas cinco coisas não são para as pessoas, são para você! Elas se impressionarão, porque elas não fazem.

Quando você estiver bom nessas cinco coisas, perceberá que as pessoas vão te procurar, porque elas querem saber qual o segredo do seu sucesso. Muitos querem a fórmula, mas não desejam executar. Existem pessoas que querem malhar comigo às 4h30 da manhã, somente para se conectarem comigo por acharem que tenho algo muito especial. Eu apenas faço essas cinco coisas que relatei todos os dias.

Desafio!

1. Conecte-se com o Criador: lendo a Bíblia, se conectando com alguém que já se conectou a Ele, fazendo uma prece, oração ou meditação. Escreva a sua experiência abaixo.

_____
_____
_____
_____
_____
_____

2. Leia o livro: *O Milagre da Manhã*, de Hal Elrod (Editora Best Seller). Comece a acordar cedo e escreva abaixo como tem sido a sua experiência.

_____
_____
_____
_____
_____
_____
_____
_____
_____
_____

3. Escreva abaixo qual atividade física você começará HOJE. Não se esqueça de tomar banho natural, gélido.

_____
_____
_____
_____
_____
_____
_____
_____

4. Tenha tempo de qualidade com a sua família. Escolha uma refeição para fazer com eles e escreva aqui como foi a experiência de se conectar genuinamente a eles.

_____
_____
_____
_____
_____
_____
_____
_____
_____
_____

5. Comece a desenvolver seu próprio conteúdo. Escreva abaixo 7 temas que começará a falar ou escrever nas redes sociais.

_____
_____
_____
_____
_____
_____
_____
_____
_____
_____

CAPÍTULO 12
VOCÊ TEM O MEDO DE ERRAR?

Se você é o tipo de pessoa que não aceita o erro e o fracasso dos outros, você fica perturbado e gasta a sua energia por conta dos erros alheios.

"Ai meu Deus do céu, eu tenho toque. Esse Pablo vai me matar!" – você pode estar pensando. Não, quem vai lhe matar é você mesmo. É um completo suicídio as pessoas não poderem errar, porque você tem uma expectativa de perfeição sobre elas, que talvez nem elas tenham. Tem como você deixar as pessoas livres para errar e para serem quem realmente são?

É uma coisa terrível, quando você não aceita o erro dos outros. Você sabe quem é o "reclamão"? É uma pessoa que não tem benevolência ou não tem bons pensamentos com os que erram.

Você pode perceber que, nos meus vídeos e cursos online, não existem cortes. Sabe por quê? Porque eu não sou perfeccionista. Eu não faço nada com perfeccionismo, porque ele não serve para absolutamente nada. E se você é assim, está gastando energia com o que não deveria. Abandone essa toxina, pois ela pode te matar.

Você está pronto para isso? Você precisa fracassar!

Sugiro que você assista ao vídeo no *YouTube* da história de Soichiro Honda, aquele senhor que quebrou dez vezes. O governo japonês não quis dar matéria-prima para ele construir as peças que ele produzia, e ele foi lá e fabricou a própria peça de reciclagem de lata de combustível que os aviões jogavam na guerra. Não queriam dar concreto para ele, e ele fabricou o próprio concreto!

Ser um fracassado significa "não tenha medo de errar". Os fracassados vão mais longe! A soma dos seus fracassos determina o sucesso que você é. Você está pronto para ser uma pessoa de sucesso? Então, pare de ficar olhando para as falhas. A única coisa na vida que eu não quero é a perfeição, porque sei que o perfeccionismo, o "anti-fracasso", faz não experimentarmos as coisas que são nossas.

Quando você era criança e tinha 1 ano, tentava andar e era simples. Não se preocupava com a opinião de ninguém, você caía toda hora, nunca do mesmo jeito, sempre de um jeito diferente, configurando um andar na sua cabeça. Você chegou a cair, de acordo com uma estatística mundial da pediatria, 1.000 vezes até os dois anos de idade, tudo porque era simples. E aí o que aconteceu com você? Você conseguiu andar e fazer uma coisa tão bela que é andar de forma natural. Um robô não consegue chegar na perfeição de movimentos que você tem. A sua fala e o seu andar foram frutos repetidos de forma incansável de fracasso. Por que você não fracassa agora?

Quando você era criança, não pensou: "Eu vou correr primeiro e, depois, eu ando"; ou, quando foi falar, você não pensou: "Vou aprender ditongo, hiato e proparoxítona". Você simplesmente mergulhou, sem pensar na opinião dos outros e sem necessidade de aprovação.

Eu sou um completo fracasso, e não tenho medo de fracassar. Não tenho medo de quebrar empresa, não tenho medo de nada dessas coisas, porque, quando tenho medo de algo, eu atraio essa realidade para mim.

Eu não sei se você leu o meu livro chamado *"Antimedo"*, mas posso te falar algo: é um livro poderoso para te ajudar a abandonar essas *bobeiras*.

Desafio!

1. Assista ao vídeo no *YouTube* que conta a história de Soichiro Honda, fundador da *Honda Motor Company*, e escreva abaixo o que mais te impressionou e o que você começará a aplicar em sua vida.

_____
_____
_____
_____
_____
_____

2. Liste cinco coisas que você tem medo de fracassar e fracasse nelas.

_____
_____
_____
_____
_____
_____

CAPÍTULO 13

SEU NOME TEM PODER?

Você sabe a sequência dos nomes mais poderosos do mundo?

1. Deus
2. Eu
3. O próximo

A pessoa mais poderosa é o Criador. Já a segunda é a imagem que Ele criou; e a terceira é a outra imagem que Ele criou, e que está conectada a você agora.

O nome *Coca-Cola* é a nomeação comercial mais poderosa do mundo. Essa empresa pode ficar até dois anos sem produzir propaganda que o nome poderoso deles não perde tanta influência. Olha que loucura! Existe um consumo em excesso desse produto e todo o mundo fala sobre isso. É o líquido mais desejado do planeta!

O nome mais poderoso de ser humano que já pisou na Terra é o de Jesus, é o que tem maior quantidade de seguidores. O nome é um registro histórico de quem você é.

Os Bezos, os Zuckbergers, os Gates, os Carnegies, os Buffetts e os Huxleys nunca serão esquecidos pela humanidade, porque foram famílias marcadas por uma única pessoa. Esses nomes são poderosos, porque foram pessoas bem-sucedidas no planeta e que marcaram a humanidade com as suas fortunas.

Você será a pessoa da sua família que marcará essa geração ou fará parte de uma família em que ninguém falará nada a respeito? A maior parte das famílias não será lembrada.

Você que é brasileiro – pode estar espalhado aí pelo mundo –, quando escrevo aqui o sobrenome "Collor", o que você lembra? Certamente, recordará de um sobrenome poderoso de um presidente que era bonitinho e que sofreu *impeachment*. Quando você lembrar de "Rousseff", possivelmente, se lembrará de uma presidente que também sofreu um processo de *impeachment*. Esses nomes ficarão na história como nomes negativos. Por isso, você precisa zelar pelo seu nome.

Meu nome, por exemplo, é Marçal. Observe que legal: vou te ensinar um macete; ele é brega, mas funciona. MARÇAL – a minha família é de origem espanhola, porém em português temos o "Ç", certo? Nos Estados Unidos, é MAR-SHALL e, na Espanha, é MARSAL. Quando eu quero me conectar a uma pessoa que não conhece nada da minha família, eu falo: "Lembre-se que no MAR tem SAL, ou seja, eu sou aquela pessoa que parece o mar e está aqui para salgar, para trazer tempero". A pessoa olha para mim e fala: "Idiota". Contudo, ela nunca mais se esquecerá de mim.

Existe um poder em fazer as pessoas lembrarem de você.

Quando você se casa, as pessoas vão te chamar de "fulano

do ciclano". No meu caso, por exemplo, as pessoas falam: "O Pablo, da Carol" (que é a minha esposa). Sim, os nomes sofrem vinculações.

Eu trabalhei por anos na *Via Terra Jeans*, uma confecção famosa no Brasil, que é da família de minha esposa. Todo mundo, nesses últimos anos, me chamava de "Pablo, da *Via Terra*". Até hoje há pessoas com o meu contato salvo escrito: "Pablo, da *Brasil Telecom*"; "Pablo, da *BRT*"; "Pablo, da *Oi*"; ou "Pablo, do *Método IP*".

Como você é lembrado? Você tem potencializado a sua marca, o seu nome? Você é uma marca poderosa! Acredite, você não é mais uma pessoa!

Uma coisa que você pode fazer para melhorar a sua marca, que está na parte de autoimagem, é melhorar a sua fotografia do *WhatsApp*, e a forma com que escreve o seu nome. Ao invés de escrever o seu nome inteiro, escreva somente dois, ou – se o seu sobrenome for forte – use apenas o sobrenome. Dê valor ao seu nome e à sua imagem.

Quando for abrir uma palestra ou falar com alguém, não chegue falando o seu nome. Mostre primeiramente o que você faz e o interesse que você pode trazer para a pessoa com quem está conversando. Desperte o interesse nela até que ela fale: "Quem é você?", então fale o seu nome. Pergunte o nome da pessoa primeiro e não fale o seu.

Os nomes poderosos são aqueles que são falados. O que determina seu sucesso na comunicação é chamar a pessoa pelo nome algumas vezes, fale o tanto que for necessário para gerar um valor. Isso gera pessoalidade.

Qual é o seu nome? O seu nome é poderoso e precisa se conectar a uma outra pessoa que também tem um nome poderoso. Juntos, vocês vão explodir esses nomes.

Você precisa criar estratégias de Marketing, como se fosse de guerrilha de empresa, para fazer o seu nome ir mais longe. Torne isso real, e o quanto antes!

Desafio!

1. Liste três tarefas que você pode realizar para potencializar o seu nome ou a sua marca.

_____
_____
_____
_____
_____
_____

2. Faça uma sessão de fotos e relate abaixo como foi a experiência.

_____
_____
_____
_____
_____
_____

CAPÍTULO 14

QUAL A SUA TAXA DE SUCESSO
ABORDANDO UMA PESSOA PELA PRIMEIRA VEZ

Um sorriso destrava qualquer relacionamento. Até mesmo os seus inimigos não poderão resistir a um sorriso sincero. Então, a dica número um é: sorria! A dica número dois é: faça perguntas. Como você faz perguntas para as pessoas? Você sabe ser elegante fazendo perguntas? Aprenda a perguntar coisas que fazem sentido à pessoa com quem você está se conectando, afinal, ela precisa ter o desejo em lhe responder.

Suponhamos que você se conectou a uma pessoa, a primeira coisa que você vai perguntar para ela é "o que ela faz?", mas não pergunte: "O que você faz da vida?". A pergunta certa é "o que você mais gosta de fazer?". Ela vai falar: "Ah, eu gosto de jogar bola". Em seguida, pergunte: "Esse é o seu trabalho?". Quando você faz uma pergunta assim, você toma conta da gestão emocional da pessoa. Ela responde: "Não, eu sou médico", por exemplo. Prossiga e faça uma outra pergunta: "Mas você gosta de ser médico?". Apenas tome cuidado para não virar um interrogatório. Você se lembra do que eu disse sobre a elegância nos capítulos anteriores? Nunca se esqueça de ser sutil.

A terceira dica: a partir das perguntas que você fizer para ela, descobrirá algo sobre ela. Se a pessoa for famosa, melhor ainda. Pesquise sobre ela. Diversas vezes, quando eu vou me conectar a uma pessoa famosa, rapidamente acesso à Internet e descubro algumas coisas sobre ela, leio um artigo "*express*" e descubro o que eu preciso. Depois de descobrir essas coisas, você se tornará interessante para a pessoa, simplesmente, porque você fala sobre assuntos que ela gosta e com os quais ela está envolvida. Então, estude o assunto, se for o caso.

A quarta coisa é criar algo em comum, um vínculo. A pessoa com quem você deseja se conectar é boa em algo. Afinal, todas as pessoas possuem talentos. Por que isso é necessário? Para que você fale a mesma linguagem que a pessoa com quem você deseja conexão.

A quinta coisa é a integridade. Não mude os seus valores e as suas bases só para agradar alguém (independente de quem seja). É nítido quando alguém está fazendo isso. A autenticação da conexão começa com o sorriso. Anteriormente, falei sobre o poder do nome, use o nome da pessoa várias vezes no meio da conversa. Chamar as pessoas pelo nome transmite confiança, valorização e importância.

Se você chegar sem delicadeza na pessoa, é como tentar funcionar uma máquina no tranco. Dá para funcionar? Sim, mas talvez o tranco pode travar a engrenagem. Compartilho isso com você, pois já aconteceu comigo. Certa vez, um amigo meu chamado Henrique pegou o carro do pai escondido e nós saímos. No caminho, a bateria do carro acabou e nós demos um tranco nele e travou o câmbio. Pensa na tristeza dos jovens, foi terrível. O tranco, muitas vezes, funciona, mas, em alguns casos, pode travar alguma coisa no carro. Não chegue no "tranco" em alguém. A melhor forma de se conectar a uma pessoa é com um sorriso gentil e legítimo. Você tem esse sorriso convidativo?

Falando em sorriso, se o seu é amarelado ou está faltando um dente, resolva isso. Pode parecer brincadeira, mas não é. Recomendo que faça um clareamento. Cuide do seu sorriso, pois você não imagina a importância que ele tem. Além disso, faça uma gestão das coisas que você tem comido que estão amarelado os seus dentes.

O seu sorriso é a única fratura exposta que você tem no seu corpo. É uma energia que você libera e produz uma luz que atinge as pessoas que estão próximas. Para se conectar pela primeira vez com uma pessoa, você não precisa ficar tenso. Você não precisa ficar emocionado com as pessoas, achando que alguém é mais importante que você, pois isso não existe.

Se você se conectou com uma pessoa que é famosa demais, você mentalizará o seu crânio e o dessa pessoa famosa, batendo ao mesmo tempo no meio-fio. Rachará igual, o famoso não tem um crânio mais forte do que o seu, vocês são iguais. Agora, o que atrapalha é o que você cria da pessoa famosa. Isso faz você ficar menor do que ela, mas ela só está a algumas horas à sua frente com fama, dinheiro, beleza, etc.

Desafio!

1. Coloque a data para começar a cuidar do seu sorriso, seja indo a um dentista, fazendo um clareamento ou algo parecido.

_____
_____
_____
_____
_____
_____

2. Escolha alguém para se conectar e estude sobre a vida dessa pessoa. Depois, conecte-se através das redes sociais ou pessoalmente. Escreva abaixo como foi essa experiência.

_____
_____
_____
_____
_____
_____

CAPÍTULO 15

VOCÊ CAPITALIZA A SUA PRESENÇA EM EVENTOS?

Esforce-se ao máximo para não cancelar a sua ida em algum evento para o qual você foi convidado. Você não precisa ir em todos, e nem dizer sim para todas as pessoas, mas vá aos eventos que fizerem sentido para você. Afinal, são em eventos que você se conecta a novas pessoas.

Priorize a sua ida em eventos sempre com o objetivo de realizar novas conexões, afinal não existe um evento tão ruim que não tenha alguém com quem você não possa se conectar ou se aproximar. "Pablo, mas não faz sentido esse evento", então não vá! Vá apenas naqueles que fazem sentido para você e que há relação com a sua verdade.

Segunda dica: não chegue no horário programado do evento. Parece besteira, mas é real. A impressão que você passa é de que você está tão desesperado para ser convidado para uma festa que simplesmente precisa chegar no horário ou então antes de todos. "Mas eu gosto de ser pontual" – acredite, festa não foi feita para isso, a não ser que seja um evento formal. Sempre chegue com uma margem de atraso, senão você terá que ficar com aquela cara de quem acabou de tomar banho e sentou numa mesa esperando as outras pessoas chegarem. Isso porque as importantes chegarão depois na maioria das vezes.

Eu estou te ensinando a valorizar a sua imagem, eu sei que muitos não concordam, mas não é problema meu. Se quer valorizar a sua imagem, não fique as 4 horas disponíveis lá. Quanto custa uma hora sua? Você já fez essa média? "Mas para fazer *networking*, eu tenho que chegar antes" – depende do evento. Se for corporativo, chegue mais cedo; se for uma festa, chegue durante o evento.

O próximo passo é se conectar com as pessoas que são interessantes para você, não saia cumprimentando todas as pessoas. Se fizer isso, vai ser tido como político ou o próximo vereador da cidade. Não é necessário cumprimentar o mundo inteiro. Escolha um setor onde há pessoas que despertam o seu interesse e se associe com aquela pessoa que você já conhece (desse meio) para validar você na festa. Então, algumas pessoas passarão próximas a você em um primeiro momento te vendo ao lado da pessoa que está te validando. Você foi visto com aquela pessoa, sendo assim já carrega um pouco da imagem dela para se conectar a outras pessoas.

Recentemente, eu fui a um evento e tinha uma pessoa bem famosa lá, muito amiga de uma pessoa que é mentorada por mim. Eu jamais chegaria nessa pessoa me apresentando, caso contrário ela me trataria como um fã. O que eu fiz? Fui até essa pessoa que é mentorada por mim e falei: "Gostaria de me conectar com fulana", e, sem ansiedade, voltei para o meu lugar e fiquei lá tranquilo. Após 10 minutos, minha mentorada levou essa pessoa até mim e disse: "Eu tenho que te apresentar um *coach* 'cabulozíssimo'". A gente se conectou e, agora, estamos fazendo contato e vamos fazer alguma coisa juntos. Você precisa ser ponte de outros e ter várias pontes para chegar onde quiser. **Pontes são pessoas que pavimentam e constroem acessos para você.**

Entenda algo: você não vai aos lugares, em palestras, para aprender com o palestrante. Você vai lá para se conectar com pessoas. Em um curso que você vai fazer, por exemplo, de curta ou longa duração, faça amizade com todo mundo, pare com esse negócio de "panelinha", isso é infantil.

Quando for em qualquer evento e em qualquer situação, vá para se conectar com pessoas o mais rápido que puder. É lógico que tem que ter um tempo de qualidade nessas conexões. Caso contrário, a coisa perde o sentido. Em grande parte dos eventos, não dá para se conectar a todo mundo. Se fizer isso, passará o evento todo somente falando: "Oi, tudo bem?". Uma outra dica é faça um mapeamento do evento, mapeie quais são as pessoas mais importantes e tente se conectar a elas.

O evento não é para curtir, e sim para potencializar conexões com o objetivo de melhorar seus resultados todos os dias.

Antes de ir a um evento, concentre-se em quem estará presente. Aprenda a usar algumas técnicas digitais para se conectar a pessoas que estão no mesmo evento que você, como as mídias sociais e outros. Veja o próximo evento que tem na sua agenda e, acredite, se não houver nenhum, você não está tão importante assim.

Não fique triste, mas tome uma atitude quanto a isso. Posicione-se para ser convidado para algum evento. Se você não sair de casa, não tem como conhecer pessoas novas. Nesse evento, você já pensa em quais são as pessoas mais importantes, as cinco mais importantes, como você chegará e quem usará como ponte para isso.

Se você não tem evento nenhum, faça uma prece, uma reza ou oração para alguém te chamar para algum. Eu estou falando sério! Não se conhece ninguém estando dentro de casa todo o tempo. Acredite em mim: você precisa sair. Vá para fora dessa bolha!

Desafio!

1. Lembre-se de um evento em que você foi e não se conectou a ninguém. Escreva abaixo como foi essa experiência.

_____
_____
_____
_____
_____
_____
_____

2. Faça um levantamento do próximo evento que você irá e as pessoas importantes que lá estarão e que você deseja se conectar.

_____
_____
_____
_____
_____
_____
_____
_____

CAPÍTULO 16

VOCÊ CAPTURA OS CÓDIGOS
QUE AS PESSOAS DE SUCESSO CARREGAM?

Antes de saber o que é modelagem, você precisa saber o que NÃO é! Modelagem não é copiar os outros. Já viu pessoas que falam umas iguais às outras: oradores, pastores, líderes religiosos e políticos? Isso não é modelagem, e sim cópia. Trata-se de uma modelagem falsificada em que você perde o seu estilo. Modelagem não é perder sua essência, mas continuar sendo você numa versão menos bloqueada e limitada.

Sabia que existem Super-Homens e Supermulheres? São homens e mulheres que conseguem modelar várias pessoas; aprendem os códigos das pessoas com as quais se conectam e aplicam em sua vida sem perder a sua identidade.

Vou revelar quem eu sou. Meu nome é Pablo Marçal, só que existem pelo menos duas centenas de pessoas com quem eu fui aprendendo a decifrar e pegar os códigos delas.

Tudo o que eu estou escrevendo aqui não foi algo que inventei, e você está aqui por isso, está fazendo modelagem comigo para ir mais rápido.

Acredite, tudo o que está escrito aqui você poderia estudar sozinho, só que levaria algumas décadas para você aprender. Então, o que você fez? Comprou este livro e, agora, está lendo. É exatamente por isso que você deve continuar lendo livros e se envolvendo em treinamentos de autoconhecimento, para encurtar o que você levaria décadas para poucas horas. Se você praticar as tarefas propostas, vai modelar mais rápido ainda.

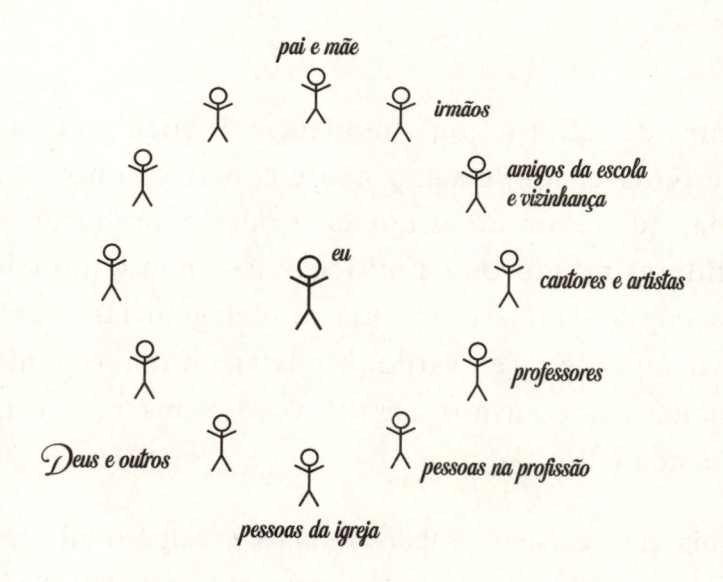

pai e mãe — *irmãos* — *amigos da escola e vizinhança* — *eu* — *cantores e artistas* — *professores* — *pessoas na profissão* — *pessoas da igreja* — *Deus e outros*

O desenho ficou como um relógio. O indivíduo ao centro sou eu (e estou usando meu exemplo para facilitar o entendimento). Quem foi a primeira pessoa que eu modelei? O meu pai e a minha mãe. Como sou o filho mais novo da família e nós somos em quatro irmãos, eles foram os próximos que eu modelei. Depois, foram os amigos de escola e de vizinhança. Em seguida, comecei a admirar alguns cantores e artistas famosos.

Depois, professores, as pessoas do trabalho e da igreja. Por fim, você começa a valorizar o Satanás ou Deus.

Estão faltando quatro ponteiros para fechar o ciclo. O que é esse relógio? Refere-se às "pessoas-chaves" para você fechar a sua vida e, no meu relógio, tem mais de 200 pessoas que eu modelei.

Quem você já modelou? Modelar não é admiração.

Nas próximas páginas, haverá um tópico somente sobre comportamentos tóxicos, e modelagem não é um deles. **A modelagem tem que ter data para acabar.**

Eu sei que muitos de vocês que assistem aos meus cursos, vídeos no *YouTube* ou minhas palestras presenciais ficam com uma certa admiração. Esse, sim, é um dos comportamentos tóxicos, e é algo que não pode existir. Você tem que fazer o quê? Modelar! Conheço uma pessoa que começou me admirando, mas, em pouco tempo, transformou essa toxina, canalizando energia para me modelar e, atualmente, posso te dizer que somos amigos e ela faz isso muito bem.

Como acabei de explicar, a modelagem precisa ter data para acabar. Se não tiver data, essa pessoa acaba virando o seu mestre/guru/conselheiro amoroso e, se isso acontecer, já era! Aí você fala: "Mestre, no dicionário, é um indivíduo que ensina". Sim, você tem que aprender o que ele tem para ensinar e se conectar em outro, senão virará um eterno discípulo de uma pessoa. Você que fica somente com uma pessoa no topo e olhando só para ela, permanece sempre pior que ela, aprenda isso. Sua admiração te impede de crescer.

Modelar é pegar o código da pessoa. O portão eletrônico da sua casa não tem um controle? Existe um código lá dentro; tem como você pegar um outro controle e codificar para que dois controles abram o mesmo portão. No meu condomínio, há dezenas de controles, ou seja, vários controles diferentes abrem o mesmo portão, porque possuem os códigos.

Você tem os códigos de pessoas ricas? Você tem os códigos de pessoas que são boas para falar? Você tem os códigos de pessoas que são boas com os filhos? Você tem o código de pessoas que transam todos os dias, por exemplo? Não tem! Alguns não estão transando tem um mês, alguns nunca transaram e, caso você seja solteiro, continue sem transar e transará com o seu cônjuge, entendido? Você precisa do código do seu parceiro para que seja interessante para ele e para você. Nessa relação, os dois precisam ganhar.

Você tem o código daquelas pessoas que malham? Você tem os códigos de gente que prospera? Você tem quais códigos? Você tem todos? Você precisa de quê? Dos códigos para realizar todas essas coisas na sua vida, porque, caso contrário, levará essa vida paralisada que você tem levado.

As pessoas geralmente me perguntam se eu tenho todos os códigos. Já modelei muitas pessoas, mas continuo modelando. Também me perguntam quais são as melhores pessoas para modelar, mas não existe esse segredo, pois depende da área que você deseja aprender. Quando modelamos uma pessoa, a primeira coisa que acontece é a idolatria. As pessoas ficam impressionadas achando que as outras são mais importantes do que elas.

Depois que essa fase passa, você se torna capaz de pegar o código que aquela pessoa carrega e, então, segue em frente, dando a sua personalidade para aquele algo novo que você aprendeu.

Encontrei-me pessoalmente com Tony Robbins, que foi uma das pessoas que eu já modelei. Já li os livros, todas as coisas que ele produziu, ouvi vários áudios dele, "suguei-o" em modelagem. O último dia que eu modelei este homem foi em um evento dele que tinha 13.000 pessoas. Conectei-me pessoalmente com ele, olhei aquela cena e falei: "Aquele ali é um vaqueiro que descobriu o segredo da mente humana". Aí você pode pensar que é por maldade, ou porque tenho inveja, mas não é. É porque o mentor dele, o Jim Rohn, esse sim era um vaqueiro de verdade e que se tornou bilionário.

Eu só sou um atendente de *call center* que descobriu o poder da mente humana, atendendo no *call center* e estudando sobre PNL (Programação Neurolinguística). E, agora, quero que você me diga: porque você me acha mais poderoso que você ou se impressiona comigo? Pare com isso!

Quando eu era atendente de *call center*, estudava sobre PNL por minha conta, por sede de conhecimento e sem influência de ninguém. Tudo porque eu estudava em uma faculdade de Direito e não queria mais estudar sobre isso. Então, fui para uma aula de psicologia e peguei um livro de *Inteligência Emocional*, do Daniel Goleman. Depois, fui para John Seymour e Joseph O'Connor. O conhecimento adquirido transformou a minha vida, me fez sair da bobeira que eu vivia, das várias bolhas em que estava. Aprendi muito também com Richard Bandler. Estude sobre esses caras!

Depois que eu aprendi sobre modelagem, comecei a modelar rapidamente as pessoas para me desconectar delas, emocionalmente inclusive. Se você não fizer isso, acaba se tornando um refém emocional ou um pássaro que fica dentro de uma gaiola com portas abertas. Vou te dar um exemplo: eu "babava" para um cara que tinha lido 3.000 livros na época, atualmente, ele deve ter lido mais de 5.000. Decidi, então, que leria os meus próprios livros em vez de ficar babando para ele. Sempre que você se emocionar com alguém, produza uma ação positiva sobre aquilo. Faça algo por você.

Eu já li mais de 800 livros e, enquanto escrevo este, estou no meu livro 869. Se eu ficasse só babando para as coisas que ele faz, ficaria só ouvindo sobre os livros que ele leu e não teria lido os 869 que já li até hoje. Depois de ler os meus livros, comecei também a escrever os meus próprios livros. Você já está lendo ou escrevendo os seus livros? Se não estiver escrevendo, é porque não lê; se não estiver lendo, é porque fica confiando nas pessoas que lê. Mude isso!

Se você tem medo de cuidar da sua vida, recomendo que você leia os meus outros livros *"Antimedo"* e *"Vá cuidar da sua vida!"*. Depois que você ler bons livros, já comece a fazer suas pílulas diárias para você escrever os seus e modele os escritores. Aprenda com eles! Você não nasceu sabendo.

Fique em paz, você será melhor do que todas essas pessoas, porque já carrega você e o comportamento destravado de cada uma delas. Cuidado com a modelagem, ela poderá te libertar!

Desafio!

Quais as cinco áreas na sua vida em que você mais precisa de modelagem? Escolha uma pessoa para cada área de modelagem e comece.

_____
_____
_____
_____
_____
_____

CAPÍTULO 17

QUANDO VOCÊ QUER ALGO,
VOCÊ COMEÇA PELO FIM OU PELO COMEÇO?

Existe uma técnica de visualização que, desde que eu aprendi no *coaching*, trouxe uma diferença para mim, que se chama **Ser, Fazer e Ter**. Se você quer ter coisas, não comece por elas, comece com o "Ser", comece por quem você é.

SER

A primeira coisa do "Ser" é a sua autoimagem, o jeito que você se vê. Se você ainda não entendeu o que é autoimagem ou não sabe explicar, volte algumas páginas, no capítulo sobre o referido assunto. A sua identidade está ligada com a forma com a qual você se vê e onde busca energia.

A segunda coisa refere-se aos seus hábitos. Hábitos são atos repetidos que são instalados dentro de você e, depois disso, não precisam mais de disciplina, você faz de forma natural.

E, por último, o seu Ser é o seu comportamento.

Antes de se conectar a uma pessoa, se você gosta de abraçar, continue gostando, só que observe se a pessoa com quem você se conectará também gosta de abraçar.

Tem como mudar o comportamento? Sim! Tem como mudar o seu comportamento, há como inativar a sua identidade e tem como mudar os seus hábitos, olha que coisa! Mas é necessário prática e dedicação.

Quando vou me conectar com a pessoa, há pontos que tenho que analisar ou fazer perguntas para entender. Qual é a fonte que ela busca a identidade dela e quais são os hábitos? Fazendo isso, consigo me aproximar e sincronizar a minha vida com essa pessoa. Então, a primeira técnica é **Ser**, estando ligada com a autoimagem, com os hábitos da pessoa e os seus comportamentos.

FAZER

O que é o seu trabalho atual? O que faz hoje? Se você é aquela pessoa que sente vergonha quando te perguntam o que você faz, saia fora disso. Estude e libere a sua mente. Conecte-se com gente diferente para que você pare de fazer o que está fazendo.

É o que mais vejo: pessoas fazendo o que elas não gostam, mas fazem para sobreviver. Não faça nada para sobreviver, faça para viver, e em abundância. Foi para isso que você foi criado! Existe uma vida de sobrevivência, que é andar arrastado, e existe a vida de andar sob as águas, deslizando. Pare de fazer coisas que você tem vergonha de falar que faz. Você não precisa ter a aprovação das pessoas. Se você se sente incomodado ou se mexe com os seus valores, deixe de fazer.

A segunda coisa do **Fazer** refere-se às tarefas. Qual é o hobby da pessoa com quem você deseja se conectar? Por mais que não seja algo oficial, você deve descobrir os *hobbyies* da pessoa para saber se vocês têm algo em comum, isso é uma técnica.

Já a terceira refere-se aos alvos. Se você quiser desmontar uma pessoa no meio de uma conversa, pergunte quais são os seus alvos; a maior parte das pessoas não sabe nada sobre alvos. Nessa hora, elas ficam frágeis e normais como você.

TER

Se você conseguir discorrer uma conversa e fazer perguntas de forma elegante até chegar ao **Ter**, você já sabe completamente como a pessoa é.

A primeira coisa do **Ter** refere-se às conquistas. O que ela já conquistou? Por exemplo, na *Hotmart*, uma plataforma de cursos e livros online que tem vários títulos, antes mesmo da primeira semana, bati o 90 graus em três dias, porque várias pessoas compraram o meu curso e começaram a mudar de vida. Isso fez com que eu ganhasse esse título, essa conquista.

Eu tenho a conquista de ser o executivo mais novo do país na *Brasil Telecom*. Eu tenho várias conquistas, mas quais são as suas? Descubra as conquistas das pessoas com perguntas *softs*, suaves e com perguntas leves. As pessoas têm orgulho de contar as suas conquistas.

Outra abordagem refere-se às formações. Que tipo de pessoa ela é e qual é o grau de instrução dela? Se você se conectar sabendo quais são as formações da pessoa, você pode mudar o rumo da conversa. Faça perguntas para descobrir as formações das pessoas.

Agora, algo que torna qualquer pessoa bilionária em uma pessoa meramente comum é perguntar quais são os fracassos dela. Ninguém resiste a isso!

Os fracassos fazem parte da pessoa. Então, ao perguntar isso, você vai tirá-la da zona de um balão gigante de gás, furará o balão dela e fará ela se tornar tão normal quanto você. Isso lhe proporcionará total segurança no *networking*.

O que é Ser, Fazer e Ter?

Os ganhadores da *Mega-Sena* não são milionários, eles não fizeram tarefas para serem milionários (apesar de terem feito uma tarefa simples que foi jogar). Eles ganharam milhões, mas quase todos ficaram piores do que quando entraram na vida de milionários, porque eles não eram, não fizeram e não estudaram para isso. Logo, eles vão perder o que ganharam.

Tudo o que você ganha sem Ser e sem Fazer, porque você não aprendeu aquilo, rapidamente você fica mais pobre do que você era antes. Para validar o Ter, é necessário antes Ser e Fazer.

Desafio!

Quem você é no:

SER: _____

FAZER: _____

TER: _____

CAPÍTULO 18

VOCÊ SABE ACIONAR OS GATILHOS
CEREBRAIS DAS PESSOAS?

Você aprenderá algo agora que te deixará com uma vantagem poderosa na curva dos terrestres e dos extraterrestres. Quando aprendi isso, já comecei a fechar todos os negócios que queria e me conectei com quem eu queria: existem alguns gatilhos que são institutos cerebrais.

Robert Cialdini, professor do Arizona nos Estados Unidos e escritor do livro *"As armas da persuasão"*, descobriu, através de um estudo científico, que institutos cerebrais, ao serem atacados, levam as pessoas a dizerem sim. São vários os gatilhos emocionais que você pode usar, mas seis são poderosos.

O primeiro gatilho é a **reciprocidade**. Se você faz algo por alguém, o cérebro dessa pessoa ficará eternamente em débito com você, mesmo que ela faça a mesma coisa por você. Por exemplo, você pagou o jantar de forma voluntária para uma pessoa, ela não consegue te pagar nem pagando dez jantares. Esse é o gatilho emocional da reciprocidade.

O segundo é o **compromisso** e a **coerência**. Se você falou algo, tem que cumprir. Então, quando você faz o que fala, você é validado na mente das pessoas e elas entenderão você. Não é necessário ficar falando coisas maravilhosas ao seu respeito, não tem nada a ver com isso. Diz respeito apenas sobre fazer.

O terceiro é a **aprovação social**. Você tem aprovação social? Você precisa urgente de pessoas importantes falando bem sobre você. A aprovação social nada mais é do que as pessoas falarem bem de você, isso fará você expandir em todos os lugares.

O próximo (quarto) é o **carisma**. Esta é uma palavra que, na sua essência, significa ser irresistível. Você precisa ser sedutor nas suas palavras e no seu comportamento para que as pessoas queiram te ouvir. Esse é um dos gatilhos mais poderosos que existem.

O quinto é a **autoridade**. Autoridade não é tomada ou conquistada, e sim é construída. Você pode ser filho de um rei, mas, se você não tiver o comportamento de um rei e construir o seu próprio comportamento e a sua própria nobreza, seu reinado nunca será validado. Mesmo que legitimamente você já seja, as pessoas nunca te respeitarão. Preste muita atenção: autoridade é construída, tijolo após tijolo. Autoridade faz você validar a sua participação em vários atos. Quando você grava um vídeo com alguém que é mais famoso do que você, aumenta a sua autoridade. O ideal é você se conectar a pessoas para ter mais autoridade.

E, por último, fechando o ciclo de Robert Cialdini, a **escassez**. O cérebro não suporta a escassez, não aguenta ficar de fora. Às vezes, a pessoa nem gosta do namorado ou namorada, mas, quando toma um pé na bunda, fica apaixonado. Por quê? Por conta da escassez. Aprenda a não cair nisso, mas faça com que as pessoas caiam nisso. Você pode achar que é maldade, mas é assim que funciona o mundo.

Você veio aqui para ler e aprender as técnicas e, se você tiver sabedoria, irá usá-las da forma correta. Contudo, é necessário aprendê-las nua e crua para não cair mais nelas. As pessoas estão fazendo isso com você o tempo todo, você sabia disso? Não deixe as pessoas fazerem isso com você, senão ficará sobre o domínio delas. Robert Cialdini, na verdade, escreveu o livro para você não cair nos gatilhos emocionais dos outros.

Quem tem o domínio de ferramentas e técnicas colocará em ação. Então, esteja preparado para se defender, mas também para fazer com que as pessoas entendam você e comprem aquilo que está vendendo. Tenha valor, não precisa ser mentiroso e nem manipulador, mas saiba que existem técnicas de acionamento cerebral.

Desafio!

Leia o livro "*As armas da persuasão – Robert Cialdini*" (Editora Sextante) e, para cada gatilho, faça uma tarefa:

Reciprocidade: gere gratidão nas pessoas. Escreva abaixo algumas ações que fará.

_____
_____
_____
_____
_____
_____

Aprovação social: tenha 12 pessoas falando bem sobre você. Escreva abaixo quem pode ser essas pessoas.

_____
_____
_____
_____
_____
_____
_____
_____
_____
_____
_____
_____
_____

Compromisso e Coerência: não prometa nada fora do comum. Escreva abaixo possíveis ações nesse sentido.

_____
_____
_____
_____
_____
_____
_____
_____
_____

Carisma: o que você pode fazer para se tornar irresistível?

_____
_____
_____
_____
_____

Autoridade: escreva um livro e faça palestras. Conecte-se a pessoas poderosas nas áreas que te interessam; publique coisas relevantes nas redes sociais. Escreva abaixo algumas ações que fará.

_____
_____
_____
_____
_____

Escassez: mostre que você é importante e que a outra pessoa está fazendo um excelente negócio. Escreva abaixo situações que viverá nesse sentido.

_____
_____
_____
_____
_____

CAPÍTULO 19

A SUA VERSÃO DIGITAL CONSEGUE
CHEGAR MAIS LONGE DO QUE AS SUAS PERNAS?

A primeira coisa a respeito das técnicas digitais é conhecer o seu público. Quais são as pessoas que te ouvem? Se são adolescentes, use técnicas para este alvo em específico. Se é a melhor idade, use as técnicas ideais para eles. Descubra a faixa etária do seu público, as idades mínima e máxima para que você possa se comportar de acordo com o que eles gostam. Após descobrir o seu público, identifique a dor dele. As pessoas têm dores e você tem o remédio, não se esqueça disso.

Você também sente dores, e me procurou através deste livro para resolver o seu problema de não se conectar com os outros, e eu estou aqui sendo o seu remédio, tome-o regularmente, fazendo as tarefas propostas. Depois do desejo, vem a interação. É quando você faz com que certas situações se tornem simples e aumente o engajamento das pessoas.

A segunda técnica digital mais utilizada são os micromomentos. O que fez o *Facebook* despencar foi não ter colocado os micromomentos depois do *Instagram*. O *Snapchat* estava "bombando" e engolindo todo mundo, porque as pessoas querem saber o que você está fazendo no agora. Confesso que eu odiava ficar falando da minha vida para os outros, mas eu vi que isso é uma tendência. Como as pessoas não vivem suas próprias vidas, elas querem viver a sua. Você pode achar que isso é maldade, mas é apenas uma oportunidade.

Se as pessoas não querem viver a vida delas, comece a mostrar a sua e viva melhor, para que elas possam te seguir. Assim, você poderá ajudá-las com o conteúdo que compartilhar. É só você publicar algo de valor, e as pessoas vão se interessar.

O que é micromomento? É uma pílula instantânea daquilo que você está fazendo. Existem pessoas que não gostam da própria vida e ficam só seguindo umas às outras. Que tipo de pessoa é você? Aproveite isso para gerar e multiplicar valor.

Micromomentos são os *stories* do *Facebook* e do *Instagram*, os *status* do *WhatsApp* e do *YouTube* e as *lives* nas mídias sociais. Por que você não faz *lives*? Se a sua desculpa é porque você não é famoso, entenda que você não precisa ser para ajudar as pessoas. Comece a investir em micromomentos, você verá a quantidade de pessoas que virão atrás de você. Ou se a sua desculpa é "eu não sei o que falar na *live*", é simples: pegue um livro e comece a compartilhar isso com as pessoas. Elas estão famintas por bons conteúdos. Tudo o que você for fazer que tiver relevância solte para outras pessoas.

A outra técnica é usar *hashtag*, uma palavra antecedida pelo símbolo #, que significa "etiqueta de uma ideia", uma palavra-chave. Quando eu vou fazer um evento, coloco uma *hashtag* e começo a seguir tudo o que é postado com essa *hashtag*, porque é um evento que eu estou produzindo.

Você tem uma *hashtag* sua ou das coisas que você faz? Tem como achar público no mundo inteiro de pessoas que estão pensando as mesmas coisas que você. Use a *hashtag* para rastrear as pessoas.

Por último, uma técnica digital que uso refere-se aos grupos de engajamento do *WhatsApp*. Você pode odiar grupo, mas eu vou te falar: funciona! Isso porque as pessoas não saem do *WhatsApp*. Coloque os seus grupos em silêncio, mas não saia deles, ou tenha um segundo número e um segundo *WhatsApp* no seu celular só para mexer com isso. Contudo, tenha os grupos, porque são as pessoas que estão conectadas a você. Dessa forma, é possível avisá-las rapidamente das coisas que você realizará. Quando vou produzir grandes eventos, eu uso grupos do *WhatsApp*.

As ferramentas digitais servem para você se comunicar no maior canal do mundo. Aquilo que você conhecia até hoje como estrutura e operações gigantescas começaram a cair. Estamos na era do *faça você mesmo*, e o digital te dá a possibilidade de criar as coisas da sua forma. Entenda algo: suas redes sociais são para negócios, às vezes você pode usá-las para postar algo da sua família ou algo que você está sentindo (pensamentos, sentimentos e atividades que você desempenha), mas o foco deve ser sempre o negócio.

Outra dica que quero te dar é: não faça cartão de visita e não entregue-os, a não ser que você mexa com exportação com os chineses, aí sim você deve ter. Os chineses amam cartão de visita e eles fazem isso com o maior carinho do mundo, mas, se esse não é o seu caso, não mexa com isso. Existem momentos e situações que, se você trabalha no mercado financeiro, você usará, mas recomendo que você aprenda a se conectar rápido – é para isso que você está lendo este livro.

Você aprendeu que o que é necessário é a geração de valor. Você não precisa ter cartão de visita, fique em paz. O ideal é se conectar a pessoas e pegar o número de telefone delas, já disponibilizando imediatamente o seu contato.

Quando você for salvar o contato de alguém, salve-o por categoria. Dessa forma, ao pesquisar, aparecerão todas as pessoas de uma categoria. Fornecedores, por exemplo, coloque o nome da pessoa e, na frente, "fornecedor" ou abrevie da forma que ficar bom para você, mas sempre salve por categoria.

Há várias formas de se conectar. Outra opção é um cartão digital, um meio de fazer o cartão em formato PDF. Você envia a imagem e nesta tem todas as informações, é só clicar para acessar qualquer uma de suas redes sociais, por exemplo.

Desafio!

Como você pode investir nas suas mídias sociais? Liste três coisas que você pode fazer para se conectar às pessoas de forma eficaz.

_____
_____
_____
_____

CAPÍTULO 20

COMO VOCÊ SE APRESENTA?

"Olá, eu sou o Marçal, *coach*, já fui executivo na *Brasil Telecom*, liderei mais de 5 mil pessoas e fiquei por lá oito anos. Eu ando de *Land Rover*, dei de presente de aniversário para a minha esposa uma *Mercedes*, ando de *Rolex*, estou envolvido em vários projetos multimilionários, sou bom em tudo o que eu faço e não conheço ninguém mais habilidoso do que eu..."

Não é um saco ver as pessoas falando assim? Pois é, mas infelizmente é assim que a maioria das pessoas se apresenta. Você viu que chato chegar falando tudo a seu respeito? Apesar de não ter escrito nenhuma mentira, é uma atitude orgulhosa e chata. Em Provérbios está escrito: "Não seja a sua boca que te louve", ou seja, deixe os outros falarem sobre você e aprenda a calar sua boca!

O tolo sempre fala antes do sábio. Nunca fale demais, porque você está dando subsídio para a pessoa te dominar. Aprenda a estar no controle.

Já ouviu a expressão "O peixe morre pela boca"? Ele morre, porque sempre está com fome. E você é o peixe, está com fome de conexão com gente e essa fome te faz mendigar atenção. Essa mendicância é quando você fala demais sobre você. Quando você fala demais, demonstra insegurança, arrogância e cria um distanciamento dessas pessoas que nem te conhecem ainda. Então, pare de falar! Ao se conectar a alguém, pare com essa insegurança de mostrar tudo sobre quem você é, ninguém te perguntou, então fale menos.

Uma coisa que você pode fazer para aprender a falar menos é: faça perguntas. Já pensou sobre isso? Você tem mais de 20 mil pensamentos e fala 5 mil palavras. Se você quiser sair dessa média de escravo que pensa muito e fala muito, você pensará bem menos, concentrará seu pensamento e irá transformá-lo em perguntas para transferir a pressão. E você só consegue isso por meio de perguntas. Se você está sendo pressionado por alguém, passe isso para o outro através de perguntas e não de falação. Só fale quando as pessoas te perguntarem. Se ninguém te perguntar, não fale.

Você precisa gerar valor para que as pessoas te perguntem, e não você ter que ficar falando sem parar de forma reiterada. Pare de falar demais, você está entregando todo o ouro. Depois você não terá nada para negociar. Nada, porque todo o ouro que você tinha passou da sua conta para a conta corrente da pessoa. Como você vai querer comprar algo se você já entregou todo o seu dinheiro? O seu recurso é o que você não fala.

Eu amo quando vou comprar um carro, sabe por quê? Porque, no meio da compra, eu não falo nada e eu só faço perguntas sem parar. Uma das perguntas que eu gosto de fazer é "esse carro já foi batido?". Todo mundo, não sei porquê, mente dizendo que nunca foi. Eu entendo um pouco de pintura, aí eu vou passando a mão e faço outra pergunta: "Foi o dono antes de você que bateu isso aqui?". A pessoa responde: "Não, isso aí foi uma esbarrada". Logo, pergunto novamente: "Mas foi você? Batida e esbarrada para você é diferente? O que é batida para você?". Por fim, a pessoa embanana tudo e fala que bateu o carro e pronto. Por que você vai mentir?

Quando eu vou vender um carro, pergunto: "O que você está procurando?". Se a pessoa me responde: "Ah, um carro perfeito", já falo para ela: "Não é esse carro aqui, o que eu posso te falar é que esse carro tem defeito. E se você quiser saber, eu te falo, mas não é um carro perfeito. É usado e já rodou tantos mil quilômetros. Você quer saber alguma coisa sobre ele?".

As pessoas dignas sempre compram quando falo isso, acredita? Porque elas não aguentam as mentiras de gente que só fala. Quanto mais fala, menos se comporta. Repita isso: "As minhas palavras falam bem mais baixo do que o meu comportamento". Então, quando a pessoa está falando demais, ela está vendendo insegurança. Você está satisfeito com isso?

Desafio!

1. Mapeie três momentos em que você falou demais e com isso perdeu amizade, situações, promoções, seja lá o que for que você tenha perdido. Aprenda, na próxima vez que você conectar a uma pessoa, que você não falhará nisso, porque você já falhou. Você já tem o troféu dessa falha e desse fracasso.

_____

_____

_____

2. Conecte-se a alguém que você deseja e faça três perguntas para essa pessoa. Fale menos e aprenda a fazer perguntas.

_____
_____
_____
_____
_____

CAPÍTULO 21

COMO VOCÊ TEM GASTADO SUA ENERGIA?

Já parou para pensar no porquê você precisa fechar os drenos de energia? Você acorda todos os dias com uma quantidade de energia suficiente para atravessar o dia, e você está gastando tudo o que tem antes do dia terminar.

Pense na pergunta que farei aqui, talvez você nunca tenha pensado nisso: Você sabe por que que existem pessoas que montam à cavalo? Vou te dar um tempo para pensar. Não sabe? É porque existem cavalos. Os cavalos são pessoas como você, e sabe o que é pior? Você é domesticado e deixa sentar em cima de você para conquistarem o que quiserem às suas custas.

Você que vive gastando energia com os outros. Você só é o cavalo deles, eles querem ir mais rápido montando nas suas costas, isso é terrível ou não?

Para não drenar essa energia, você simplesmente começará a

cuidar da sua vida. Aprenda uma coisa que você tem que parar de fazer: falar sim para todo mundo. No *networking*, quando você fala sim para todo mundo, você desonrará os compromissos e terá um nome ruim, consequentemente as pessoas não confiarão em você.

Não diga sim sempre, existem momentos que é preciso dizer não. Você não precisa se conectar a qualquer custo, e sim se conectar quando aquela relação fizer sentido para ambas as pessoas.

Não se torne a agenda das outras pessoas. Tem gente que usa você como secretária e tem gente que acha que você é a agenda dele do *Google*. Você gerou valor no módulo Geração de Valor? Então, não tem que obedecer a agenda dos outros, você tem a sua própria agenda.

Os compromissos serão feitos e realizados de acordo com a sua disponibilidade, e não a dos outros. Isso te ajudará a ser menos procrastinador e parar de se enganar, quando você "pensa" que está no controle, mas deixa os outros te controlarem.

Você precisa aprender algo na geração de valor: você não está disponível a qualquer hora que qualquer pessoa quiser. Tem gente que te manda áudio: "Estou indo aí". "Indo aonde?" – para falar comigo, leva alguns dias, porque tenho uma agenda. Não é porque sou o bom, mas é porque não fico com tempo de sobra. Tenho tempo para família, amigos e trabalho.

As pessoas não valorizam quem está disponível o tempo inteiro. Repete assim comigo: "Só os otários estão disponíveis o tempo inteiro".

Certo dia, um grande amigo meu do Rio de Janeiro bateu o

carro, e o carro não queria ligar. Ele me ligou chorando e me pedindo ajuda para empurrar o carro e para chamar o socorro. Eu estava a alguns quilômetros de distância dele e, então, perguntei: "Garotão, está tudo bem? Você está bem? Machucou alguém?" – ele me respondeu que estava tudo bem. Com isso, falei para ele olhar para um lado, para o outro, para frente e para trás. Sem entender, ele me perguntou: "O que é Marçal? Por que você está me pedindo para fazer isso?".

Logo, perguntei se ele havia visto alguma pessoa e ele respondeu que sim. Então, falei para ele: "Chama essa pessoa que você viu para te ajudar a empurrar esse carro. Vai pegar no tranco. Se não pegar, você chama o guincho". Aí ele me disse: "Ah, mas eu preciso da sua ajuda". E eu respondi: "Pois é, estou te ajudando". Ele ficou com muita raiva, mas é o que eu poderia oferecer a ele naquele momento.

Você – que fala sim para todo mundo – é um cavalo manga larga. Na verdade, é um cavalo Paraguaio, que faz bonito na arrancada, tira suspiros das pessoas, mas nunca chega no final. E quando chega, atravessa em último lugar, porque vive com as outras pessoas montadas nas suas costas.

Faz sentido para você continuar desse jeito? Você tem que aprender a dizer não. Porque, se você continuar fazendo isso, ninguém de grande valor vai querer se conectar a você. Só os usurpadores e os manipuladores vão atrás de você. E o que você ganha com isso? Nada! Você não ganhará absolutamente nada.

Você que quer crescer dentro de uma empresa e acha que é necessário estar sempre disponível e se colocar à disposição o tempo todo para que as pessoas dependam de você, na verdade, você precisa ser proativo e resoluto, mas não ser um trouxa. Entendeu?

Se você ficar disponível o tempo todo, as pessoas montarão em você, baterão na sua bunda e ainda vão por uma espora no pé e chamar na sua barriga (como a gente fala no Goiás). Então, você verá um ferrão comer seu couro e entenderá o que eu estou falando.

Entenda uma coisa, pare de ser otário. É só não ficar disponível o tempo todo. Quando alguém fala com você no *WhatsApp*, quando ela ainda estiver escrevendo, você já responde: "Fala mestre, senhor dos mares, meu irmão, *brother*, amigo" – não faça isso! Deixe a pessoa falar, depois você responde. Pare com a ansiedade.

Avalie e veja quem são as pessoas para quem você fica falando sim o tempo inteiro, pode ser seu chefe ou qualquer outra pessoa. Você tem que aprender a dizer não e a não estar disponível o tempo todo, ou nunca será promovido, será sempre o capacho.

Para finalizar, pare definitivamente de dizer sim para coisas passageiras e prazerosas (imediatas). Diga não para o prazer no momento hoje e foque no seu amanhã e no prazer que você poderá alcançar e ter. Aprenda a dizer não.

Desafio!

Diga não a pelo menos três pessoas a respeito de coisas/pessoas que drenam a sua energia.

_____
_____
_____
_____

CAPÍTULO 22

A SUA *BLACK LIST* ESTÁ PRONTA?

Você sabe o que é *black list*? Você tem algumas, e não é a sua não. Você está em algumas. Enquanto você não estiver em cerca de mil, você não é famoso, acredite. Você tem que estar nas *black lists* e tem que ter a sua também.

Aqui está um segredo de Sun Tzu: "Se não consegue ganhar do inimigo, se alie a ele". Você não tem que fazer as mesmas coisas que o seu inimigo e nem mudar os seus valores, mas não deixe o inimigo distante, ele precisa estar sob o controle, sob a sua gestão com tranquilidade.

Você sabe que você está na *black list*, quando as pessoas não te chamam para fazer as coisas. Como elas não te chamam, você fica aí "magoadinho". Deixe de bobeira e crie proximidade com essas pessoas, para você estar sempre ali próximo.

Quando você colocar alguém na sua *black list*, faça um favor e não conte para ninguém. Todo mundo tem os inimigos favoritos, mas aprenda: não gaste energia contando para ninguém, senão essa *black list* te custará muito caro. Um segredo só é segredo se você o guarda com você. A partir do momento que você o compartilha com outra pessoa, poderá sofrer o dano dessa decisão.

Tem coisas que você precisa fazer, tem que ter a *black list* e tem que estar em *black lists*. Não pense que isso é errado! Você não é Jesus, e até ele estava na *black list*. Várias pessoas queriam matá-lo. Saiba usar a *black list*.

Não finja que você não está na *black list*, mas também não crie "treta" ou problemas com ninguém. Esteja bem próximo dos seus inimigos, como o conselho que temos no livro de Salmos, capítulo 23: "Coloque uma mesa perante os meus inimigos, unge a minha cabeça com óleo e o meu cálice transborda". **Fique calmo, todo mundo tem inimigo, mas tenha a tranquilidade de não se importar com isso. Ao criar proximidade com eles, você não faz as mesmas coisas que eles fazem.**

Vou te dar um exemplo: no ano de 2006, eu era instrutor de suporte técnico na *Brasil Telecom*. Naquela época, não tinha apostila, eu criei uma apostila e ainda ganhei um bom dinheiro nesta oportunidade. Muitas pessoas falavam mal de mim. Certo dia, estava tão famoso na *Brasil Telecom*, que uma menina começou a falar mal de um tal de Pablo Marçal: "A apostila desse Pablo é um lixo!". Naquele período, havia 2 mil funcionários na empresa. Eu estava do lado, prossegui a conversa com ela e ela continuou falando e falando. Sim, eu estava na *black list* dela, o problema é que ela falava sem saber que eu era o Pablo Marçal. A conversa foi longa, quando ela descarregou todo armamento do que ela realmente pensava sobre mim, eu falei para ela: "Eu sou o Pablo Marçal". Ela quase morreu.

Quando você põe alguém na sua *black list*, você está falando:

"Eu não vou levar essa pessoa pra jantar lá em casa", só isso. Não precisa ficar gastando energia para avisar o Primeiro Comando da Capital, o BOPE ou qualquer pessoa. Deixe essa pessoa lá na *black list*, e apenas não faça mais projetos com ela.

Eu não fico indo atrás de quem me deve, eu faço a cobrança, pois, nos negócios, precisamos fazer isso. Mas sabe qual o meu maior segredo? Eu não levo "cano" de ninguém, mas, se a pessoa insistir nisso, sabe o que acontece? Ela não faz mais negócio comigo, simplesmente assim! Eu já a coloco na *black list* de negócios e de finanças.

Se a pessoa quebra um valor comigo, que é algo essencial, também não entrará na minha vida particular, não estará com os meus filhos e não andará comigo mais. Por quê? Porque tem a *black list* para essas pessoas. Gente que é invejosa, que é interesseira, que só quer sugar coisas de você e não deseja a sua amizade, sabe onde estão? Em uma *black list*. Os falsos, os fingidos, essa turma toda... Você tem essa lista? Crie sua *black list* oficial. Tem como reverter alguns casos e tirar algumas pessoas de lá; as pessoas vão mudando, esteja atento a isso. Você tem que ter *black list* para que possa produzir uma tarefa para cada pessoa, o melhor é que você consiga converter essas pessoas, mas, se não fizer sentido, deixe-as em paz.

Por exemplo, com um primo seu que só tem inveja, tente uma tarefa para chegar perto dele, para acabar com essa distância e ele parar com essa bobeira. Faça algo que possa estimulá-lo a fazer as coisas dele, para ele parar de pensar em você. É bem econômico fazer isso, viu?!

Depois que você vai crescendo na vida, perceberá que várias pessoas vão te colocando em suas *black lists*. Por exemplo, depois que algumas pessoas fazem o *Método IP*, outras ficam com raiva de mim, porque elas gostam de dominar umas às outras e as pessoas saem do *Método IP* livres. Logo, a raiva vem para cima de mim, e eu entro na *black list* deles. Até o dia em que eles mesmos fazem o *Método IP* e eles mesmos vão lá e me tiram da *black list*.

Crie a sua lista de pessoas que você não quer se relacionar. Se der para convertê-las, melhor ainda, você gastará menos energia. Contudo, tenha proximidade com o inimigo. Essa proximidade é saber os passos dele. Vou te dar um exemplo: na Bíblia, fala que o Diabo fica ao derredor, fica rugindo como um leão, ou seja, ele não é um leão, mas, se você entender e sacar os passos dele, você o vê com facilidade. Quando você não o vê, você é tragado rapidamente por ações que ele faz e você só o vê depois que acabou com tudo.

Desafio!

Crie sua ***black list*** para pelo menos dez pessoas. Faça uma tarefa para cada uma das pessoas que está na sua lista.

1. _____
2. _____
3. _____
4. _____
5. _____
6. _____
7. _____
8. _____
9. _____
10. _____

CAPÍTULO 23

ALGUM AMIGO JÁ TE FALOU QUE VOCÊ É TÓXICO?

Se você tem comportamentos tóxicos, significa que o seu *networking* está correndo grande perigo. O primeiro deles é a bajulação. Gente famosa e importante odeia, e gente íntegra também repudia essa toxina.

E a admiração? Você sabe o que é? É uma distância que você cria da pessoa, um vale de distanciamento entre você e o outro, só para você ficar lá, babando ovo nessa pessoa.

Idolatria é quando você acha que o cara é o "master". Pare com isso! Pessoas são iguais, o que diferencia umas das outras é a essência e os valores que cada uma carrega. E você que não tem valor vai ficar babando em quem tem. Eis aqui mais uma dica: vá gerar valor! Se você ainda está babando, admirando ou fazendo sei lá o que em relação aos outros, você voltará na parte de geração de valor e vai ler novamente.

Você que é negativista, ninguém suporta ficar perto de gente assim. É como se você azedasse o ambiente. A geração mais negativista na história da Terra é a geração que conheceu a televisão; a maioria dos nossos pais é muito negativa. Isso porque eles entraram nesse clima de televisão.

Reclamação é coisa de gente que não é benevolente com quem erra, por favor, pare de ser esse pessoa "reclamona" e não permitir que os outros tenham atitudes dentro da maturidade que possuem. Pare de exigir a perfeição que você não tem.

Amargura e mágoa. A mágoa é uma "má água" no seu organismo. Pare de ficar carregando os outros. Essa água paralisada e represada dentro de você gerará um cheiro fétido, um azedume.

O medo é uma semente que só é plantada na mente de quem não faz tarefas. Uma forma de se livrar disso é fazendo as atividades propostas e sendo produtivo.

Você tem que parar de dar desculpas. Desculpas são mentiras *gourmets* que você conta para os outros, ninguém acredita e nem você. Para que você vai usar isso? Você precisa extirpar essa toxina do seu comportamento.

Já **a mentira** aponta para a insegurança, não interessa o nível. Isso mostra que você não tem segurança em si mesmo. **O exagero** também é a mesma coisa, é um tipo de mentira.

Outra coisa é a **prolixidade.** O prolixo leva de três a cinco vezes o tempo para falar uma coisa que era para levar dez segundos. Prolixidade é um defeito grave, pois quebra o *networking*.

Por fim, **a opinião**: não dê opinião em conexões. Opinião é aquela mercadoria vagabunda que você dá sem ter compromisso com o resultado final. Pare de dar palpite e opinião, se ninguém está te perguntando.

Se você ficar com esse negócio de opinião, palpite, mentiras, exagero, medo, desculpas, idolatria e bajulação, as pessoas vão olhar e pensar: "É só mais um trouxa". Se você tiver todos, você tem um campo, uma força magnética atrás de você que não deixa se conectar às pessoas e nem elas a você. Fuja desse campo de energia negativa.

Mude a sua vibração!

Comportamentos tóxicos são tão sérios que eu escrevi um livro com o nome *"Lavagem Cerebral"* para ver se você se liberta dessas toxinas que te paralisam definitivamente. São pílulas diárias para você ler, mentalizar e realizar as atividades durante 110 dias (quantidade de pílulas).

Este capítulo inteiro foi somente de coisas que você não deve fazer, você percebeu isso? Não faça essas coisas. Para você que quer avançar o mais rápido possível, sugiro que volte e leia este capítulo novamente e faça as tarefas, além de ler o meu livro *"Lavagem Cerebral"* que o ajudará muitíssimo a se livrar dessas atitudes indesejadas.

Se você tem um comportamento tóxico, isso está lhe afastando das pessoas, já que elas não suportam pessoas tóxicas. A maioria delas é "boazinha" e não te fala, só que elas te tiram das listas legais. Você nem pode ir às festas e aos eventos, porque você não é querido.

O pior de tudo é que você deve ser uma pessoa que não sabe disso. Você não tem bom senso, não tem autoanálise e autocrítica para saber que está fora da jogada. Entenda uma coisa: um chato nunca sabe que é chato. Você é chato? Sim ou não?

Você sabe alguma coisa ao seu respeito? Pergunte! Faça as tarefas e descubra.

Você está pronto para avançar na vida? Então pare de ser tóxico.

Desafio!

Identifique pelo menos doze pessoas tóxicas com as quais você convive e faça uma tarefa para cada uma delas. Coloque, em frente ao nome da pessoa, qual a toxina que está mais presente na vida dela.

1. _____
2. _____
3. _____
4. _____
5. _____
6. _____
7. _____
8. _____
9. _____
10. _____
11. _____
12. _____

Pergunte para cinco amigos o que eles acham sobre você.

Amigo 1. _____
Amigo 2. _____
Amigo 3. _____
Amigo 4. _____
Amigo 5. _____

CAPÍTULO 24

VOCÊ QUER SE TORNAR A PESSOA
MAIS INTERESSANTE DO SEU CICLO DE AMIZADE?

Como se tornar essa pessoa? Provoque as suas histórias. Fale isso em voz alta: "Eu preciso provocar as minhas próprias histórias". Pare de participar das histórias dos outros o tempo inteiro. Não é proibido participar das histórias de ninguém, mas é necessário provocar as suas. Quer saber como provocar histórias? Faça tarefas!

Uma cliente famosa foi fazer o *Método IP* (ela mora em Goiânia), mas foi fazer o *IP* em São Paulo, porque eu provoquei uma história. Qual história? Ela poderia esperar, mas falei para ela fazer logo, e aí nós nos conectamos. Ela queria fazer uma sessão de *coaching* comigo, porém tem alguns meses de fila de espera, logo pensei: "Como ela vai para São Paulo comigo? Se ela realmente quer essa sessão, nós podemos voltar no mesmo voo juntos". E foi exatamente o que fiz, apliquei a sessão de *coaching* com ela nos ares, foi muito bom, ela tomou decisões muito importantes sobre o negócio dela. Comprou um terreno, largou o namorado e outras coisas – não foram coisas que eu falei para ela fazer, ela mesma criou as tarefas. No *coaching*, você não fica dando as tarefas para os outros. Preste atenção: se você provocar histórias e crescer nisso, você será reconhecido pelas suas próprias histórias.

Tenha um poder de se tornar invencível, em se tornar interessante, seja o Tony Stark, o invencível. Ele sabe quem é, sabe criar histórias, mas também utiliza do poder da vulnerabilidade. Ele sabe qual é o ponto fraco dele, e utiliza a favor dele. Vulnerabilidade não é mostrar que você é uma manteiga derretida do sertão baiano, mas você tem que demonstrar vulnerabilidade em certos aspectos para não parecer que você é blindado até os dentes. Você é um ser humano, é falho, mas precisa aprender a ser vulnerável em diversas ocasiões, senão isso lhe custará muito caro. Use seu defeito a seu favor.

Outra coisa, se você quiser ser interessante, invista em conhecimento. Se eu fosse você depois deste livro, não ficaria nenhum dia da minha vida sem estudar. Quer seja lendo um livro, fazendo um curso, lendo ou assistindo um documentário, eu não sei, mas se envolva com pessoas para discutir conhecimento. Esse ato é saber.

Segunda coisa: eu nunca mais iria parar de fazer tarefas. Aprendi isso com um juiz de direito que foi meu professor na faculdade e ele falava que, enquanto ele estivesse vivo, estudaria. Ele malharia e trabalharia. A sabedoria é o fazer, estar sempre envolvido em atividades, isso faz o seu cérebro explodir em novas ideias!

Quer ser interessante mesmo? Domine alguma coisa! Se você dominar duas, três, quatro ou cinco, as pessoas ficarão impressionadas com você. Você sabia disso? Domine coisas, depois que você passar por esse processo de conhecer, fazer e dominar, encontrará a paz nisso. Sabe o que acontecerá? Aprendi isso com Salomão: as pessoas sairão de longe para se conectarem com você.

Se você quiser avançar na vida, você deve investir em conhecimento e transformá-lo em sabedoria, fazendo as tarefas. Assim, você vai dominar (através do hábito), repetir e compartilhar isso de forma incansável para que as pessoas se conectem a você, tendo como objetivo sentir essa paz no que mais deseja.

Tem uma história que vale a pena repetir a vida inteira: desde que Israel se tornou uma nação, nunca ficou sem guerra. O único período sem guerra foi durante o reinado de Salomão. Quando você é um cara que estuda, que faz e que domina, repetindo e compartilhando, você encontra uma coisa chamada paz. Era o que Salomão experimentou.

Você quer realmente ser interessante? Por favor, aplique essas coisas que eu compartilhei com você: conhecimento, sabedoria e domínio.

Se você dominar em mais de uma área da sua vida, várias pessoas vão te procurar. Essa é uma geração de valor para que você consiga construir e destravar a sua rede e fazer com que ela, além de expandir, se conecte a outras redes.

Desafio!

Conecte-se a três coisas que você precisa fazer para provocar suas próprias histórias.

_____
_____
_____
_____

Liste cinco coisas que você precisa estudar para aumentar seu conhecimento em alguma área que você sente deficiência.

_____
_____
_____
_____
_____

Liste cinco coisas que você não está praticando e deveria estar.

_____
_____
_____
_____
_____

Liste cinco coisas que você já possui conhecimento e prática suficientes para compartilhar com os outros e continue fazendo até alcançar a excelência.

_____
_____
_____
_____
_____

CAPÍTULO 25

SUA REDE JÁ FOI CONSTRUÍDA?

As redes são invisíveis, mas quem é bom em *networking* enxerga o poder delas. Prestes a produzir um grande evento, recebi a ligação de um cara que me procurou simplesmente porque dois amigos – que já fariam esse evento comigo – falaram para ele. É assim que as suas redes e as suas conexões vão se encontrando, é uma malha de frequência invisível.

Como construí-las? Vamos lá: existe a regra do 7x7, construção de rede 7x7. O que seria isso? São sete áreas onde eu coloco sete pessoas em cada uma dessas áreas. Isso é muito bom. Em Provérbios de Salomão, diz que: "Quem tem muitos amigos é sábio", você sabia disso?

A primeira área que você tem que agir é na **espiritual**. Você anda com pessoas que têm conexões espirituais com os mesmos valores que você ou não?

A segunda área é a **pessoal** – são pessoas que você traz para dentro do seu lar, que são suas amigas verdadeiras, pessoas para quem pode abrir o seu coração. Você precisa de sete pessoas assim. Pessoas de alta confiança, que não gostam de fofoca e tudo mais.

Familiar: sete familiares dessa rede gigantesca de familiares que você tem. Pessoas com quem você pode contar e que elas podem contar com você.

A próxima área é **profissional**. São pessoas que têm valores que você queira andar com elas para modelar – já aprendeu sobre a modelagem e como codificar as pessoas. Essa é uma rede básica para você explodir.

Sabe o que está acontecendo com você? Ao invés de ter 49 pessoas-base na sua rede, que é o 7x7, você deve ter cinco para cobrir todas essas área. Quando as pessoas começam a aprender isso, elas reconhecem: "Eu era um babaca, um zumbi e não fazia nada na vida". Isso porque você tem apenas cinco pessoas em sete áreas, as mesmas cinco pessoas em todas as áreas.

Outra área poderosa é a **financeira**, tenha pessoas no mercado financeiro, um gerente de banco, na *XP*, pessoas que emprestam dinheiro. Se você tiver sete pessoas nessa área, você criará conexões e tentáculos, quando perceber, estará conectado e envolvido em muitos negócios.

A próxima área é **conhecimento**: conecte-se a sete pessoas que são intelectuais, que produzam resultados, que gostam de fazer coisas. Existem pessoas na área do conhecimento e você tem que se conectar rapidamente a elas.

A última área das sete é a **área social**. Você precisa servir de energia para essas pessoas e se conectar para conseguir fazer coisas. Para essa área, você colocará mais sete pessoas, alguém de uma ONG, do governo, alguém que está cuidando de outras pessoas, que está dando sopão, que cuida de órfãos, outros que cuidam de viúvas e outros que cuidam de usuários de drogas. Crie uma rede disso para se conectar.

Se quiser criar mais áreas, fique à vontade, as que fizer sentido para você. Contudo, o 7x7 são as áreas básicas para você conseguir construir uma base. Aprenda uma coisa: tudo o que você precisa está atrás de alguém. Se você precisa de uma roupa, existe alguém que fabricou essa roupa para você. Se você precisa de um remédio, alguém inventou um remédio ou uma indústria fabricou pelas mãos de alguém. Mesmo que tenha máquinas que também foram feitas por gente, mas tudo o que você precisa está atrás de uma pessoa.

Você não está mais na era das oportunidades, você está na era da atitude. São as atitudes que atraem as oportunidades. Então, você fará uma lista formal e, depois, terá uma tarefa, uma só! Você escolherá uma pessoa de cada uma dessas áreas para se conectar, preferencialmente a pessoa mais difícil. Se não conseguir, descerá para a segunda, depois para a terceira, mas fará uma conexão com cada uma dessas pessoas, e devagar, não precisa ir acelerado.

Você vai se conectando e substituindo essas pessoas da sua rede, a fim de ir acrescentando mais e mais pessoas. Como você fará a manutenção dessa rede? As pessoas que se conectam – que não são leais ou não querem as mesmas coisas que você – vão saindo naturalmente, continue sempre repondo essa lista.

O ideal é que você não fique dez anos com a mesma lista dos 49, você precisa ir imigrando essas pessoas. Se você anda com as mesmas pessoas a vida toda, tem algo errado.

Uma coisa engraçada na Bíblia é que lá nunca ensinou estabilidade para ninguém, as pessoas precisam se locomover em liberdade, foi para isso que Cristo te chamou.

Então, o que você aprende? Solte-se, deixe as águas do rio fluírem. Contudo, tenha essa base, porque são essas pessoas que fazem você prosperar.

Essas pessoas vão saindo devagar, e a manutenção vai garantindo que a sua rede cresça.

Desafio!

Faça uma lista com as sete pessoas com quem você se conectará nas sete áreas que citei neste capítulo.

Espiritual:
1. _____
2. _____
3. _____
4. _____
5. _____
6. _____
7. _____

Pessoal:
1. _____
2. _____

3. _____
4. _____
5. _____
6. _____
7. _____

Familiar:

1. _____
2. _____
3. _____
4. _____
5. _____
6. _____
7. _____

Profissional:

1. _____
2. _____
3. _____
4. _____
5. _____
6. _____
7. _____

Financeiro:

1. _____
2. _____
3. _____
4. _____

5. _____
6. _____
7. _____

Conhecimentos:
1. _____
2. _____
3. _____
4. _____
5. _____
6. _____
7. _____

Social:
1. _____
2. _____
3. _____
4. _____
5. _____
6. _____
7. _____

CAPÍTULO 26

A LEI DA ATRAÇÃO ESTÁ ATIVADA EM VOCÊ?

A lei da atração nada mais é do que Física Quântica, recomendo que você estude sobre isso. Essa matéria é uma área da física que muitas pessoas não gostavam de jeito nenhum, mas, agora, estão sendo obrigadas a gostar e estudar, porque já está sendo comprovado cientificamente. A lei da atração é a seguinte: a forma que você coloca o seu cérebro para recepcionar alguma coisa agirá mediante aquele comando.

Existe um campo gravitacional, um campo energético em volta de você, que, se você estiver na frequência certa, você atrairá aquilo que a sua frequência está buscando.

Eu gosto de usar o exemplo do rádio: você usa o seu rádio AM ou FM. Você tem a sua estação de preferência, assim você ouvirá a sua estação em outra rádio, em outra frequência? Não tem como. Então, se você deixar na estação certa, algumas vezes na estrada, quando tiver algumas baixadas, chiará e falhará um pouco, mas depois voltará novamente, mas, se não estiver na estação certa, você não ouvirá nunca.

O seu cérebro é um "frequenciômetro", ele precisa estar sintonizado naquilo que você quer. Você está querendo ouvir a rádio da riqueza, mas está na rádio da pobreza, então ouvirá sobre pobreza. Não existe outra saída! O que você quer? Você quer realmente crescer? Quer mudar seus resultados e explodir na vida? Coloque na frequência *networking*, continue avançando e se conectando com as pessoas que deseja. Se você ainda não fez o curso *"O pior ano da sua vida"* (um dos meus cursos online), recomendo que faça urgente. Se você fez, se lembrará da segunda aula *"O poder de escrever as coisas"*. É um curso de metas, objetivos e alvos bem-definidos. O que você aprende com isso? Quando você escreve, você está sintonizando a rádio, a lei da atração faz isso.

Você com certeza já ouviu a história de Jó: ele era um cara rico, próspero e de uma família abençoada, e, então, o Diabo pediu a cabeça dele. Deus falou: "Toca o terror aí, pode fazer tudo, só não mata ele". Foi interessante que, no final da história, muitas pessoas não entendem o porquê Jó ter passado por isso. No final do livro, está escrito uma frase do próprio Jó: "Aquilo que eu mais temia me sobreveio", está aqui um segredo teológico da história de Jó – ele temia que aquelas coisas acontecessem e é exatamente por estar sintonizado nelas que elas aconteceram.

Quando vier um pensamento ruim na sua cabeça, seja ridículo para cortar a frutificação dele. Tire o seu cérebro da frequência errada. Quando vier o medo de não prosperar ou de não se conectar com alguém, tire o cérebro dessa frequência e coloque: "Eu vou porque sou um fracassado mesmo e eu preciso ter essa experiência para chegar mais perto do meu sucesso, estou aprendendo com isso!".

Não tenha medo, porque o medo é atrativo, é uma frequência que você disponibiliza no seu cérebro para atrair essas coisas.

O seu cérebro vibra 12 vezes por segundo, é uma explosão atômica por segundo, criando um campo. Se você é negativo, você atrairá negatividade e aquelas pessoas do mesmo campo gravitacional. É interessante o quanto a Física Quântica atrai, o quanto faz com que você consiga as coisas. É óbvio que você que não estudava Física Quântica, achava que era apenas a fé. Saiba que a fé é comprovada na Física Quântica. É você imaginar e atrair.

Com o que você vai usar a lei da atração? Se você quer se conectar a uma pessoa, você vai imaginar: "Eu quero a atração de tal pessoa, quero que ela venha até mim".

Certo dia, precisei achar o número de um telefone no meu celular, e eu não lembrava o nome do cara. Daí, fiquei tentando lembrar o nome dele. Como não consegui, pensei: "Ele podia tanto falar comigo". Sabe o que aconteceu? Já haviam muitos meses, talvez mais de um ano que eu não falava com esse cara, logo ele me envia uma mensagem falando: "Aqui é o Dieguinho que está falando, estou vendo o seu *Instagram*...".

Tem um outro cara – que hoje é meu sócio na Plataforma Internacional, o Fellipe Fernandes, da Alemanha – que atraiu na mente dele que eu iria para lá. Eu tentei tirar ele de todas as maneiras, não aceitava isso de jeito nenhum, porque não queria ir para a Alemanha. Eu estou surfando aqui, no Brasil, está muito bom, mas sabe o que aconteceu? Lá vou eu para a Alemanha, porque o cara mentalizou. Ele cercou minha equipe, cercou todo mundo, ficava ouvindo todas as *lives* e tudo mais e falou assim: "Você será o meu sócio, você virá para cá". Qual foi o resultado? Nós abrimos uma empresa e, atualmente, somos sócios na Alemanha, na Plataforma da Europa toda. Tem lógica uma coisa dessas? Eu nem quis, eu nem fiz, não estava nem aí para isso, mas ele atraiu com a Física Quântica.

O que você quer? Quando você perceber que você está perto de pessoas, que é só chegar e abrir a boca para falar, você vai surtar ao pensar quantas oportunidades que achava que não eram suas e estavam todas ao seu lado. Entenda isso: a Física Quântica atrairá pessoas para o seu lado.

Estude a Física Quântica para você tirar benefício disso, para você parar de ser um mendigo de atenção nos ambientes que chegar. Porém tenha valor em excesso, transbordante. Aí as pessoas se conectarão a você, porque é uma alma livre, que tem sabedoria, domínio e paz.

Desafio!

Liste 10 coisas que você deseja atrair para você.

1. _____
2. _____
3. _____
4. _____
5. _____
6. _____
7. _____
8. _____
9. _____
10. _____

CAPÍTULO 27

QUANTAS PONTES VOCÊ JÁ PAVIMENTOU?

Se você já está saindo e fazendo o *networking*, você está fazendo coisas com as quais ainda não está preparado. Tenha calma. Não faça isso, dê tempo de maturar o negócio. Você está querendo que a árvore já cresça com os frutos, calma, leia devagar e repita, repita e repita.

Deixe-me te contar uma história: certo dia, uma pessoa que se diz minha concorrente, me pesou a mão no ombro e falou comigo, quando comecei a minha escola de Negócios, Inteligência Emocional e de Desenvolvimento Pessoal, a escola de sabedoria que é a Plataforma Internacional. Ele falou assim para mim: "Eu piro para você, gasto muito dinheiro para ter cliente, com o *Google Adsense*, plataformas *adsense* e eu vejo que você não gasta dinheiro! Você usa seu *networking* para trazer seus alunos". E eu falei: "É isso mesmo", e daí ele falou: "Pois é, seu *networking* acabará, porque todo *networking* é limitado".

Aí eu pensei: "Esse cara só pode estar me abençoando, porque não é possível que ele veio me falar isso. Será que ele quer me deixar mal?". Eu fiquei mal cinco segundos e sabe o que aconteceu? Naquela hora que ele falou isso, peguei a minha apostila do *Método IP* e escrevi "A ponte". Produzi uma ação com o que ele me falou.

Falar que o *networking* é limitado significa: "Eu não estou fazendo mais nada", mas, quando ele falou isso, pensei: "Vou abrir uma ponte por dia". Você precisa abrir uma ponte por dia, ou seja, se conectar a novas pessoas diariamente. Eu abro pontes para os outros e, quando abro, ganho crédito para que essas pessoas abram pontes para mim. Se eu abro uma ponte por dia, deixo uma ponte pronta para pavimentar pessoas para o meu lado. Esse é o segredo, e é isso que você tem que fazer também.

Eu vou te explicar por meio de um triângulo como funciona a ponte. Existe uma pessoa A que quer falar com C, e dificilmente essas pessoas conseguem falar uma com a outra. Então, tem o B que é você. O A tem relacionamento com você e o C também. O que vocês vão fazer? Não é só ligar para o A e dizer que o C quer falar com ele, é criar um interesse. A palavra-chave é "interesse".

O **A** – que é a pessoa que quer se conectar com o **C** – falará comigo, e eu que sou o **B** vou transferir para C o relacionamento que tenho com A, criando interesse de C por A. Fazendo isso, C e A se conectarão e eu sou a ponte desta conexão.

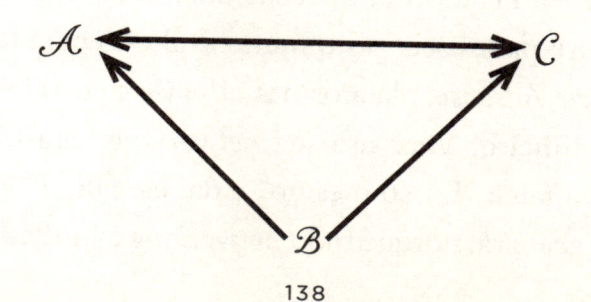

Você quer ser a minha ponte? Eu já sou a sua ponte – aonde você quiser se conectar, poderá chegar junto que vamos conectar. Quando você abre ponte para alguém, essa pessoa vira sua ponte automaticamente. Quantas pontes você tem? Foi aí que percebi e mudei a minha rota em relação a *networking*, é só construir ponte o tempo inteiro. Se todos os dias você acordar e fizer uma ponte, mesmo que seja mínima, várias pessoas chegarão até você.

Comece a pavimentar pontes, porque você ganha créditos no mercado de construção civil e outras pessoas construirão várias pontes para você.

Esse é o segredo, a construção de ponte. Quando construo uma ponte, transfiro o meu relacionamento para a pessoa, e eu não perco nada, só transmito isso para ela, é um crédito que uso.

Conecte-se a outras pessoas fazendo pontes para ela, esse é o segredo do investimento, e nós somos todos sócios em construção civil, ou seja, em construir pontes.

Construa pontes e seja a ponte de outras pessoas.

Desafio!

Construa pelo menos cinco pontes novas em várias áreas da sua vida. São pessoas com as quais você abrirá novas conexões.

_____
_____
_____
_____

CAPÍTULO 28

QUANTOS PATROCINADORES VOCÊ TEM?

Neste capítulo, ressalto a importância de ter patrocinadores. Você tem os seus?

Patrocinadores são pessoas que você tem de altíssimo nível no seu *networking*, na sua rede e que promovem você.

Os patrocinadores são pessoas que gratuitamente falam bem sobre você. São pessoas que possuem alianças com você em um altíssimo nível, que, independentemente de você errar ou fazer as coisas certas, elas te promoverão.

Eu sou patrocinador de várias pessoas, inclusive automaticamente. Quando vejo que alguém é meu patrocinador, já viro patrocinador dela também. Agora, existe uma questão de virtudes e valores. Os patrocinadores só o promoverão, se tiver respeito e honra por você.

Um dos patrocinadores mais poderosos que eu tenho é o **Pedro Victor**, mais conhecido como DJ PV, da Sony Music; no cenário gospel, é o DJ mais poderoso do mundo.

A **Karen Tzelikis**, a executiva que fez eu "virar homem" na *Brasil Telecom*, e eu cheguei a vários lugares por ter me conectado à ela; Karen sempre me patrocinou.

Lorena Vieira, uma empresária, foi minha cliente de *coaching*, ela se conectou a mim em processo de *coaching*. É minha grande amiga, e me conectou a várias mulheres; diversas pessoas vieram a mim por conta dela, então ela é uma pessoa que me patrocina nisso e eu também faço isso com ela.

O **Sidney Gonçalves** é um grande amigo meu que me conecta a muitos famosos, porque ele é amigo de uma galera. Então, ter conexão com esse cara é muito importante para mim.

O **Anderson Tikin** é um cara que me conectou com mais famosos e também me colocou na TV; ele só fica falando sobre essas coisas, e eu fico pensando: "Gente, aonde eu vou parar com isso?!".

Divino Carvalho, o meu sogro, me patrocina para uma grande rede de empresários que eu lidero hoje e com quem eu tenho amizade. Ele é mais um patrocinador que eu tenho.

O **Tarcísio Rivas** é um amigo meu de Rio Verde, Goiás. As primeiras turmas que fiz e explodi foi tudo culpa desse cara; ele me conectou na cidade de Rio Verde aonde eu fui ganhando musculatura e até hoje está conectado comigo e é um grande irmão.

Juliano Marçal é outro amigo. Ele me projetou nas áreas políticas, onde eu tenho programa de rádio. Já escrevemos um livro juntos e crescemos em várias áreas.

O **Fellipe Fernandes**, da Alemanha, que abriu a porta na Europa. Atualmente, é meu sócio, e já me conectou a várias pessoas.

Samuel e Fabíola Melo, uns dos principais portais que eu tive em São Paulo.

Victor Azevedo e Dênio Lara Júnior me conectaram a grandes líderes cristãos.

Eu poderia falar de muitas outras pessoas aqui – isso só para que você entenda que precisa ter, no mínimo, 12 patrocinadores, pessoas que te aprovam socialmente, e falem de você porque realmente acreditam em você.

Eu, particularmente, acho que tenho mais de 300 patrocinadores, mas os que estão comigo para o que der e vier são essas pessoas que citei.

Mencionei esses patrocinadores não para ser injusto com os demais, mas para honrá-los e para mostrar para você como que eu explodi em todas essas áreas, tendo parceiros e pessoas que acreditam em mim.

Entenda uma coisa: se você tiver patrocinadores – e quando digo isso não estou falando de pessoas que investem dinheiro em você, e sim energia –, você explodirá na vida.

Patrocinar alguém não envolve apenas dinheiro, porque a

maioria dessas pessoas não colocou o dinheiro deles em meus negócios, mas eles fizeram mais do que isso, colocaram o nome deles empenhados para sustentar uma imagem que eles sabem que é a verdade sobre mim.

Então, se você tem essas pessoas, tem tudo. Isso fará total diferença para você.

Desafio!

Quem são os seus patrocinadores? Escreva 12 pessoas que você patrocina e que patrocinam você.

1. _____
2. _____
3. _____
4. _____
5. _____
6. _____
7. _____
8. _____
9. _____
10. _____
11. _____
12. _____

CAPÍTULO 29

COMO COLOCAR UMA PESSOA EM SEU CIRCUITO?

O que significa fechar o circuito? O circuito é uma trilha, um desenho que você faz em uma placa com diodo (componente eletrônico que permite a passagem da corrente elétrica somente em um sentido). Você entende de informática, entende de *hardware*? As pessoas que são boas nisso fazem os circuitos para conectar capacitores e transistores. Tem como você criar trilhas.

Usarei novamente o desenho do triângulo para você entender. O ponto A quer chegar ao C e usa você que é o B. Você é o ponto A e quer encontrar o C e usa o B que é a ponte; eu sou sua ponte. Não funcionou? Pode acontecer, então que fará? Fechará o circuito? Não, encontre os pontos D, E, F, G, H, I, J e K e vai tentando através de cada um desses até chegar ao C.

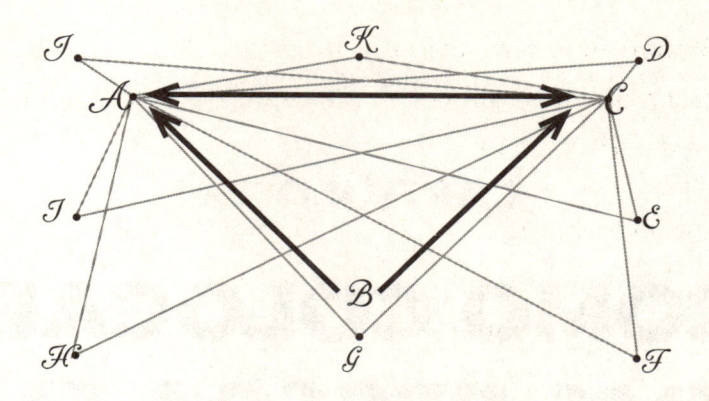

Nós fizemos isso com a **Carol Dias**, ela tem 6 milhões de pessoas no *Instagram*; não foi só conectar para encher o saco, foi para ter amizade. Então, o primeiro cara que falou de mim para ela foi um ex-namorado dela que é amigão dela até hoje, e ela falou para ele: "Tá bom, um dia eu vou conectar com esse cara".

Logo após, o Sidney Gonçalves – que também é amigo dela – fechou ela de um lado, depois uma amiga dela foi na palestra, e aí várias pessoas. Qual foi o resultado? Hoje nós somos amigos, já gravamos vídeos juntos e produziremos eventos juntos. Por quê? Porque se você fechar o circuito, a própria pessoa cansa e pensa: "Todo mundo fala desse cara, só eu que não conheço". **A pessoa que deseja se conectar fará conexão com você.**

O **Fellipe Fernandes**, da Plataforma Europa, é incansável! Ele conhece todo mundo que está à minha volta, ele é o cara mais poderoso em fechar circuito que conheço, faz isso o tempo inteiro, e eu só fui para a Alemanha devido a ele.

A **Thati Maciel** – que trabalhou comigo – conhece todo mundo, porque usa muito bem esse fechamento de circuito. Certo dia, voltando de um velório em Curitiba, ela já se conectou a uma pessoa que me conhecia há mais de 10 anos, da época em que fui executivo da *Brasil Telecom*.

Uma pessoa bacana que conheço lá de Brasília é a **Juliana Dutra**, ela trabalhava em uma indústria farmacêutica poderosa e conhece todo mundo, porque ela procurou se conectar com todo mundo que está orbitando em volta de mim. Atualmente, ela cresce na área de consultoria de estilo.

Então, existem pessoas que aprendem a usar a órbita. Preste atenção: você é um satélite e tem várias coisas à sua volta, você precisa se conectar com aquelas pessoas que deseja chegar para fechar o circuito. Isso é uma das coisas mais poderosas em *networking*. Se não funcionou com um ponto, abra outro, abra vários pontos até chegar ao Z. E quando chegar ao Z, não acabou. Aí você começa a misturar letras e números, tornando o circuito infinito.

Não pense que acabou na primeira conexão. Se você quer conversar com um bilionário, não chegue falando sobre negócio, porque ele não quer ouvir. Você terá que fechar circuito; se você tentar ir direto ou usar uma ponte, talvez você não consiga prosperar, porque ele não te dará muita atenção. Experimente fechar os circuitos com as pessoas que vocês têm em comum.

Existem pessoas muito profissionais nisso. Quando você fecha essas conexões, as pessoas ficam no meio delas, é impossível sair de lá. Preste bem atenção: se você for profissional em *networking*, você está lendo este livro para isso e está perto, aja rapidamente.

Uma garota da minha equipe se encontrou com o **Daniel Goleman** pessoalmente, um mentor que tenho que é PHD, em Harvard, da *Inteligência Emocional*. Ela pediu para ele: "Goleman, me dá um conselho?". Ele olhou para ela e falou: "Aja rapidamente". Meu conselho para você é: não fique ensaiando, aja rapidamente.

Eu me conectei a todas as pessoas que eu quis na vida. Tem um aluno meu do *IP* que está me desafiando. Falou que pagará a minha viagem, quando a gente for nos Estados Unidos para conectar ele com Warren Buffett, e você pode me perguntar: "É fácil?". E eu respondo para você: "Sim, é fácil!". O cara anda num carro manjado, um *Cadillac* 2010, mora na mesma casa. Você acha que é difícil se conectar com um cara desse? Vai ser rápido. Então, no dia que tiver uma turma minha do *IP* nos Estados Unidos, vou para essa missão.

Quem quer que seja, que você deseja se conectar, você consegue. **Você está a uma distância de cinco ciclos de amizade dessa pessoa.** Antes da Internet eram sete, e, agora, pela primeira vez, vamos experimentar quatro por conta de *Instagram* e grandes redes sociais que explodiram no mundo.

O que significa esses ciclos? Por exemplo, quero me conectar com o Trump, que já foi presidente dos Estados Unidos. A primeira coisa que eu tenho que fazer é me conectar a alguém que mora nos Estados Unidos. Depois, tenho que me conectar com alguém que entende de política. Em seguida, vou me conectar a alguém do partido dos Republicanos e, logo, estou conectado a ele. Existem outras formas de chegar até ele, posso usar outros ciclos que estão em volta dele.

```
     eu
       ↘
        Estados
        Unidos
       ↙
   Política
        ↘
         Partido dos
         Republicanos
       ↙
    Trump
```

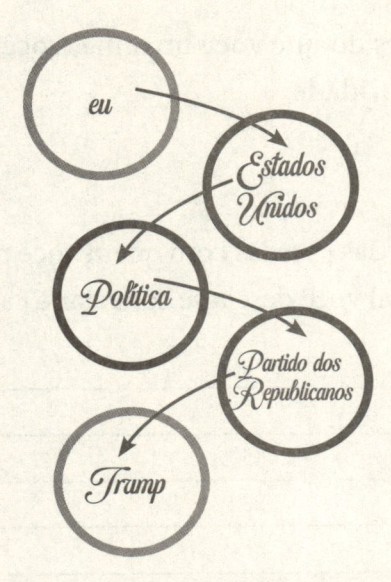

Se você quiser se conectar a Jorge Paulo Lemann, por exemplo, você terá que usar investidores para chegar até ele.

Com quem você quer conectar? Não interessa, seja quem for, só não faça como um aluno meu de Rio Verde (Goiás) que falou assim: "Já que você é o bom do *networking*, quero falar com o DJ Alok", o DJ mais famoso do Brasil. Logo, respondi: "Beleza, qual é o propósito?".

A primeira coisa para a conexão é necessário saber qual o propósito, e ele falou: "Não, só quero subir lá no palco". Aí, falei: "Meu filho, você acha que vou gastar a minha energia só porque você quer tirar uma foto com o Alok no palco?".

Eu poderia usar um ciclo que é o DJ PV e chegaria lá rapidamente, mas tinha que ter um propósito. Contudo, diante da falta de propósito dele, pedi que ele entrasse no site e enviasse uma mensagem para o Alok, dizendo que ele tinha um sonho de ficar vendo ele lá do palco. **Sem propósito, sem conexão. Aprenda isso!**

É mais simples do que você imagina, você só precisa praticar para ganhar autoridade.

Desafio!

Faça uma lista das pessoas com quem você precisa se conectar e o motivo pelo qual você deseja se conectar a cada uma delas.

_____
_____
_____
_____
_____
_____
_____
_____
_____

CAPÍTULO 30

VOCÊ JÁ ESTÁ MULTIPLICANDO?

Se você conseguiu chegar até aqui e fazer todas as suas tarefas, já está prosperando em *networking*. Se você não fez as tarefas, não dará em nada, acredite! As tarefas são importantes!

A multiplicação é o único sinal da matemática que está disponível para os sábios e prósperos. **Multiplicação é o que tem dentro de você e que te fará explodir e transbordar até o ponto de afetar outras pessoas.**

Deixe-me te dar mais uma dica: saia desta leitura, fazendo algo por você, porque os "fazedores" prosperam. Eu vou te falar de uma lei que nunca passará, enquanto a Terra existir: é a **lei da semeadura**. Você tem que plantar para colher muitas vezes mais. Você tem feito isso? Existe um poder na semeadura e existe um poder na colheita, e só conhece a colheita quem faz semeadura.

Vou compartilhar com você uma das histórias que mais gosto, a da maçã. Todas as maçãs que já abri na vida nunca bateu o mesmo tanto de semente (isso mostra que eu abri poucas); quando eu falo abrir, é para pegar a semente mesmo.

Das poucas que abri, certa vez deu onze, outra oito, já em outra três, em outra cinco... Ou seja, é válida aquela frase: "Ninguém sabe quantas sementes há em uma maçã", não sabe porque não abriu. Na maioria das vezes, dará um valor diferente. No entanto, para descobrir, preciso abrir e, mesmo que eu descubra quantas sementes há dentro dela, nunca descobrirei quantas maçãs podem vir depois de plantar essas sementes. É impossível um cálculo humano precisar quantas maçãs virão depois de abrir uma e plantar uma semente.

A semeadura e a colheita nunca têm fim. Se você investir dinheiro em lavoura, você se assustará. Em uma lavoura plantada numa terra fértil, com semente boa e excelente manutenção, qualquer pessoa pode ficar rica em cinco anos de plantar e replantar, e colher e replantar. É insuportável. Se você continuar crescendo e reinvestindo e expandindo a sua terra, não existirão limites para você.

Entenda uma coisa: você só avançará no *networking*, quando multiplicar e transbordar isso para os outros, é o que estou fazendo agora, eu me sinto leve em transmitir isso para você, porque, quanto mais ensino, mais as pessoas vão adiante fazendo novas redes, e elas sempre lembrarão de quem abriu o caminho para elas.

Assim como o fluxo das águas, quando libero o rio, os peixes sobem as águas. Quando tiver pessoas à sua volta, não segure nenhum tipo de informação. Você não é próspero, porque você estava rodeado de pessoas que não sabiam o que era *networking*. Como agora você aprendeu, passe isso adiante e faça com que outras pessoas façam a mesma coisa. Se você fizer isso, você achará um oásis.

O que eu sugiro, de verdade: se esse assunto foi muito novo para você ou se as tarefas estão em um nível difícil, recomendo que retome desde o início e vá tópico por tópico relendo devagar, porque existe uma ansiedade em quem quer ler rápido demais. As pessoas querem tomar um pó mágico e já sair pulando, não faça isso! Aqui, não tem mágica, só tem uma coisa que se chama **tarefa**.

Se você assistir 1.000 cursos online comigo, você terá a mesma impressão: "Quem é esse cara, é um chato que só fala de tarefas". Esse é o segredo, faça só as tarefas. Não tem milagre, eu não sou seu milagre, você também não é o meu milagre. Você só precisa fazer. Lembra do tema **"Ser, Fazer e Ter"**?

Comece AGORA a FAZER!

Desafio!

Faça agora uma lista de pessoas com quem você começará a multiplicar o que aprendeu neste livro.

_____
_____
_____
_____
_____
_____
_____

CAPÍTULO 31

VOCÊ SABIA QUE EXISTE UMA CHAVE
QUE DESTRANCA TODAS AS PORTAS, MAS NÃO ABRE NENHUMA?

Seja bem-vindo ao fim e, segundo a Palavra: "O fim é melhor que o começo". O fim de todas as coisas é melhor, porque sempre no fim você bate um alvo, e está aqui mais um alvo da sua vida, ler mais um livro, e foi uma honra para mim passar esse tempo com você. Eu espero que passe mais tempo comigo, repetindo e repetindo essa leitura até que isso comece a transbordar através de você.

Você sabe por que se conecta às pessoas? Porque o Criador ama conectar as pessoas, Ele fez as pessoas à imagem e semelhança dEle. Em Gênesis, está escrito: "Façamos o homem à nossa imagem e semelhança", o que significa: "Eu vou fazer alguém tão bom quanto eu". E nesse momento, você pode me dizer: "Mas só Deus é bom!". Com certeza, você é repleto de falhas e Ele não, mas você é imagem e semelhança dEle.

O dia que você destravar todas as falhas humanas, todos os erros, sabe o que acontecerá com você? Você não errará em mais nada, vai chegar na perfeição – esse dia existe.

Tem que errar em tudo o que você puder, e aí você pode me perguntar: "Eu tenho que errar em tudo, tipo fumar maconha para saber?". É claro que não. O erro que me refiro é se conectar com gente que faz isso, e que tem a vida atrasada. Ao ver a vida que a pessoa leva, você não vai querer ser igual.

Quanto mais você falha, mais você cresce, mas escolha não falhar nas mesmas coisas. Estava ridícula essa sua vida de não se conectar com ninguém, aprenda a se conectar com pessoas novas.

Coloque prazo para as conexões que você deseja fazer. Não pense em negócios em primeiro lugar, pense nas pessoas, você colherá poderosamente.

Releia este livro, não é uma brincadeira, não fique com devaneio de coisas que você ouviu. **Vá fazer até chegar na colheita, repita isso até gerar domínio. Lembre-se do caminho "conhecimento, sabedoria e domínio".**

Foi um prazer enorme estar aqui com você, te servir de forma a multiplicar o que está dentro de mim, porque um dia alguém multiplicou isso e ofertou na minha vida, como estou fazendo na sua. Se você entender o poder da multiplicação, nunca mais você volta atrás.

Espero ter te ajudado. Se você não fez as tarefas, não posso fazer nada por você. Contudo, se você fez as tarefas, você está bem próximo de um novo nível na sua vida.

Valorize a única coisa que Deus valoriza, sabe o que é? Relacionamento. *Networking* – traduzido em uma só palavra – significa relacionamento. A chave mestra para o universo chama-se relacionamento, ela destrava qualquer porta, a do inferno, a do céu, enfim qualquer porta do mundo que o homem pode inventar.

O relacionamento é uma chave que destranca qualquer porta, mas não abre, pois, para abrir, você precisa ativar uma coisa dentro da pessoa que você se conecta, que se chama: confiança. Esse é o segredo que fará alguém abrir a porta pelo lado de dentro e deixará você entrar.

É por isso que o mestre disse: "Eis que estou à porta e bato, se você abrir, entrarei e terei amizade com você", parafraseando o versículo bíblico de Apocalipse 3:20.

Se você aprender o que te ensinei, fará com que pessoas tenham conexão de confiança com você e elas abrirão essas portas e você terá um relacionamento real com elas.

Veja a capa deste livro e analise qual é a inspiração. É um astronauta. Pessoas são astronautas e elas podem ir no mundo em que elas quiserem. Você não precisa fazer parte daquele mundo ou nascer lá, e sim apenas adaptar-se para entrar. Por exemplo, o próprio Deus vestiu roupa de astronauta, quando através de Jesus, veio na Terra fazer coisas humanas. Ele se reduziu a um embrião e vestiu roupa de astronauta.

O que precisamos para avançar é ter trajes especiais para conectar com qualquer pessoa no mundo, sendo extraterrestre ou quem quer que seja.

Quais são esses trajes especiais? Quem vai nadar usa roupa de banho. Quem vai cavalgar usa calça e botina. Quem vai esquiar na neve precisa de equipamento adequado e roupas para enfrentar o frio. Para cada ocasião, é necessário um traje. O astronauta usa uma roupa específica, pois ele está saindo completamente da órbita dele. A respiração dele mudará, e ele precisa, portanto, de um traje especial, e espacial inclusive.

A chave mestra só cabe na sua cabeça, a fechadura é a sua própria mente. A porta é apenas a sua janela mental. Com este livro, você acabou de adquirir uma chave para destravar coisas dentro da sua cabeça e, agora, é só se aproximar da pessoa que você quiser, transbordando valor e, assim que ela ativar a confiança em você, ela abrirá a porta por dentro.

Não se esqueça do versículo que citei de Apocalipse 3:20: "Eis que eu estou à porta e bato; se alguém ouvir a minha voz e abrir a porta, virei a ele, e cearei com ele e ele comigo". Ele quer ser seu amigo e te levar a construir novas pontes com quem também é amigo Dele.

Lembre-se que, até o último dia do seu respirar, a única coisa que Deus ama refere-se às pessoas, e não às coisas. É por isso que você se conectará a pessoas de valor que te levarão a transbordar o que você já tem dentro de você.

Estamos Juntos, um beijo do Titi.

Desafio!

Olhe para a capa deste livro e descubra se sua chave mestra acionou o seu cérebro. Se sim, ou não, RELEIA todo o livro, focado principalmente em realizar todas as tarefas.

**CONFIRA NOSSOS
LANÇAMENTOS AQUI!**

Camelot
EDITORA

CamelotEditora